Il giardino dei Finzi-Contini di Giorgio Bassani

La collana è realizzata con la collaborazione
di MARIO MICCINESI

ADRIANO BON

Come leggere
Il giardino
dei Finzi-Contini
di
Giorgio Bassani

MURSIA

© Copyright 1979 Gruppo Ugo Mursia Editore S.p.A.
Proprietà letteraria riservata - *Printed in Italy*
2171/AC - Gruppo Ugo Mursia Editore S.p.A. - Via Tadino, 29 - Milano

ISBN 88-425-1772-0

Anno							Edizione
97	96	95	94		3	4	5 6

I

GIORGIO BASSANI

L'AMBIENTE

Il 1956 è un anno piuttosto importante, un anno spartiacque nella storia del mondo. Se la feroce repressione sovietica in Ungheria incrina molte fedi, il XX Congresso del PCUS pone le premesse necessarie alla fine della guerra fredda tra le due superpotenze mondiali. Questa svolta, vero e proprio nuovo corso politico per il mondo diviso in blocchi, viene parzialmente a coincidere, in Italia, con gli anni del boom, ovvero del « miracolo economico ». E tutto ciò viene a pesare, e non poco, sul mondo culturale e su quello editoriale. Il panorama letterario del nostro paese, sino ad allora non eccessivamente vario, tende a configurarsi come un insieme mosso, vivo e diversificato, e le sue strutture — vale a dire l'editoria — si organizzano secondo modelli prettamente industriali.

Tentiamo una breve sintesi di questi fenomeni.

Già dal 1951, Vittorini — figura extra-ordinaria nel quadro letterario italiano — cura per l'editore Einaudi una collana di narrativa, « I Gettoni »; è una collana sperimentale che tende a porsi in una chiara e moderna prospettiva editoriale, sommando l'esigenza di sperimentare nuove forze a quella di scoprire o riproporre autori sconosciuti o negletti. È nei « Gettoni » che fanno le loro prove Calvino, Leonetti (autore sino allora di qualche *plaquette*), l'esordiente Testori, un Carlo Cassola sino ad allora quasi trascurato (ne *I narratori* di Luigi Russo il suo nome compare solo a partire dall'edizione del '58) o un Mario La Cava, che dopo gli anni trenta aveva conosciuto un momento di vera e propria eclisse.

Sono dunque un editore, i cui programmi aziendali avevano sempre trovato il loro punto di forza nei tempi lunghi della saggistica, e uno scrittore, con alle spalle una scarsa esperienza di programmazione, a dar vita a una collana — che cesserà nel '58 — basata su un sostanziale progetto di politica editoriale teso a precedere i tempi e la domanda del pubblico. È l'inizio di quella profonda trasformazione in industria editoriale di un'attività sino ad allora sotto il segno del personale, dell'artigianale, del rapporto diretto — e a volte « mitico », come per Mondadori o, in modo diverso, per Einaudi — tra l'editore e i suoi autori. Questo « ingresso dell'industria » (o *nell'*industria) evidenzia aspetti già presenti e rileva nodi importanti nel modo di *fare cultura* nell'editoria italiana. Solo alla fine degli anni sessanta, però, l'editoria razionalizzerà la propria struttura, coprendo la distanza che ancora la separava da altri settori di produzione. Il periodo di cui ora parliamo — grosso modo dal '56 al '65 — è cruciale proprio perché segna il trapasso da una tradizione mecenatesco-artigianale a una vera e propria programmazione industriale.

L'intellettuale, non ancora inserito organicamente nel processo produttivo, può sí illudersi di essere in condizione di parziale indipendenza, ma già i rapporti di collaborazione esterna (consulenze editoriali, ad esempio) si subordinano sempre piú ad esigenze di mercato,[1] mentre l'illusione del lavoro culturale come garanzia, di per sé, di indipendenza, si rivela esatta solo per quel che può riguardare il ruolo creativo che col proprio originale con-

---

[1] Si vedano a questo proposito le *Lettere editoriali* di R. BAZLEN, Milano, Adelphi, 1968.

tributo l'uomo di cultura può ancora svolgere nell'industria editoriale, il rapporto non ancora alienato (ma nemmeno totalmente autonomo) che esiste tra il « dirigente culturale » e il prodotto-libro.

Sono molti gli intellettuali che in questi anni vivono rapporti di collaborazione esterna o accettano una vera e propria presenza interna alle case editrici in piena espansione e trasformazione. Lo stesso Vittorini, chiusa l'esperienza dei « Gettoni », svolge una sua precisa politica culturale come direttore della « Medusa » e della « Nuova collana di scrittori stranieri » per Mondadori dal '60 in poi e, più tardi, nel 1965, del « Nuovo Politecnico » einaudiano. Così Giacomo Debenedetti darà una inconfondibile impronta di avanguardia europea alla collana del Saggiatore.

Più tradizionali i rapporti che intercorrono tra Bazlen, Einaudi e la neonata Adelphi o tra Niccolò Gallo e Mondadori.

Gallo, che nel '63, con Vittorio Sereni, darà vita per Mondadori alla collana sperimentale « Il tornasole », è un critico prestigioso quanto schivo (la quasi totalità delle sue opere è stata pubblicata postuma) che, all'interno del suo lavoro critico, vive il fallimento degli ideali di rinnovamento culturale che avevano fatto seguito alla Resistenza (già nel '50, in un articolo su « Società », egli accusava da sinistra il neorealismo di non aver rinnovato il panorama culturale italiano, di non aver mutato le coscienze degli scrittori, di essere solo una composita corrente letteraria). Pur mantenendo una costante presenza culturale (fu, ad esempio, tra i fondatori di « Questo e altro »), Gallo abbandona la critica militante intrattenendo un rapporto di lavoro strettamente editoriale con Mondadori, curando inizialmente la collana dei « Narratori italiani ». Anch'egli, come Vittorini, tende a un rapporto personale, e spesso a monte di ogni *iter* editoriale, con i suoi autori. Ma, contrariamente a Vittorini, Gallo, pur non disdegnando gli investimenti editoriali lungimi-

ranti e certe oggettive convergenze con la logica azienda-
le, si ostina a conservare una dimensione privata, quasi
preindustriale, al suo lavoro. Da Roma, invia i suoi giudizi
editoriali in forma di lettere manoscritte agli amici milanesi, con un apparente distacco o una sottile vena po-
lemica che sottolineano il disagio del lucido critico di
fronte a questa illusoria difesa della propria indipendenza.

Intanto, sulle pagine di « Officina » (1955-1959) e del
« Verri », voluto da Anceschi nel '56, l'avanguardia, non
solo letteraria, fa le sue prove. Il pubblico è ancora limitato e per lo piú di « addetti ai lavori », ma anche questa
voce trova ascolto nel quadro della domanda e dell'offerta.

Nel '57, infatti, Garzanti propone al pubblico un autore che, sino ad allora, non aveva venduto mai piú di
qualche centinaio di copie, pur se assai stimato dalla
critica. E Gadda, questo eterodosso delle nostre lettere,
ottiene per la prima volta un successo di vendita piú che
notevole. Piú che notevole, si badi, non rispetto alle sue
medie precedenti ma rispetto al mercato italiano. Un successo che viene polverizzato nel '58 dal piú clamoroso
caso letterario del dopoguerra: *Il Gattopardo* di Giuseppe Tomasi di Lampedusa. La vicenda esterna del romanzo è nota: rifiutato da Vittorini (proprio sulla misura della politica culturale che sosteneva i « Gettoni »:
errore, quindi, per voluto eccesso), il manoscritto, il cui
autore è nel frattempo defunto, viene scoperto da Bassani, che dal '58 al '63 dirige la « Biblioteca di letteratura » dell'editore Feltrinelli. Il libro supera in pochis-
simo tempo il mezzo milione di copie vendute, cifra as-
solutamente eccezionale per quegli anni in Italia. Né deve meravigliare che due autori cosí diversi come Gadda
e Lampedusa, due romanzi cosí dissimili come *Quer pasticciaccio brutto de via Merulana* e *Il Gattopardo* risul-
tino entrambi « successo commerciale ». Il libro dell'ari-
stocratico siciliano, « un romanzo — dirà Bassani — che
sarebbe piaciuto ad Antonio Gramsci, io credo; un esem-

pio, direi insuperabile, di letteratura nazional-popolare »,[2] è un prodotto di grande finezza formale e maturità stilistica: gustandolo quasi come un romanzo d'appendice (e con una sorta di strano complesso d'inferiorità) il pubblico dimostrò di preferire una letteratura vista (magari a torto) come consumo e trattenimento gratificante ad uno scrivere arduo per « idee » e « messaggi ». Bisogna peraltro notare come il romanzo del Lampedusa, oltreché perfettamente godibile, potesse apparire anche *impegnato*: lo stesso Bassani, nell'intervista già citata, sostiene che:

> « Nel momento di crisi del secondo Risorgimento italiano, in piena crisi dei valori della Resistenza, Lampedusa riprende i motivi verghiani, e ripete il no di Verga, includendo in quel no l'intera vita nazionale. Siamo tutti siciliani, ormai: ecco cosa dice Lampedusa. Mentre Verga parla al suo popolo, Lampedusa si rivolge alla nazione, nella lingua della nazione. Il no di Lampedusa si estende perciò al di là delle frontiere verghiane. Egli è riuscito in un'impresa che poteva sembrare addirittura impensabile: quella di innestare il problema della solitudine, del nulla siciliani, nel piú vasto ambito di tutta la cultura nazionale ».[3]

E cosí questo anacronistico, sebben pregevole, romanzo storico venne portato come risposta al fallimento del tentativo neorealista di dar vita al romanzo politico-sociale. In questa direzione, del resto, va rintracciato uno dei principali motivi del successo italiano del *Dottor Ži-*

---

[2] Intervista rilasciata a « L'Europa letteraria », febbraio 1964.

[3] Circa l'accenno alla letteratura nazional-popolare, si ricordi come in quegli anni la questione fosse ormai superata, e superata perché mal posta. Si era avuta, sostanzialmente, una lettura di Gramsci semplicistica, quasi in chiave neorealista. E lettura riduttiva, anche, se si considera che la nozione di nazional-popolare venne sviluppata alla luce di solo alcuni passi di *Letteratura e vita nazionale* (edizione già di per sé arbitraria e isolata dal *corpus* degli scritti gramsciani). Per un approfondimento si rimanda a C. SALINARI, *La questione del realismo*, Firenze, Parenti, 1960.

vago di Pasternak, libro che non a caso uno scrittore come Cassola, il quale butta a mare Camus, Sartre, Thomas Mann, Malraux, Graham Greene, indica come unica sua esperienza letteraria significativa dopo quelle giovanili.[4]

Tutto diverso il romanzo di Gadda. Anzi, a distanza, questi due libri cosí emblematici del trapasso di quegli anni appaiono proprio l'uno il complementare rovescio dell'altro. Tanto *Il Gattopardo* è tradizionale nell'impianto, quanto innovatore è il *Pasticciaccio*; tanto l'uno è rispondente a un ideale piuttosto borghese e corrivo di « buon gusto », quanto l'altro si cala nel « gliuommero » del creaturale; tanto l'uno presenta una scelta di lingua media, lirico-naturalistica, quanto l'altro sperimenta una quantità di moduli deformanti.

Se, insomma, da un lato si può dire che il Lampedusa chiude l'epoca neorealista mentre Gadda si pone a modello-miniera dei *nuovi* scrittori sperimentalisti (i « nipotini dell'ingegnere »), indicato da critici *nuovi* come vero e unico iniziatore, in Italia, d'un modo *nuovo* di fare letteratura e di manipolare il linguaggio; dall'altro si può ben riconoscere che il Lampedusa apre (almeno in Italia, poiché all'estero il processo era già molto avanzato) il periodo del libro-prodotto di consumo, mentre Gadda chiude quello della letteratura indifferente, non alla Storia ma al contingente e alle richieste del mercato.

Di fatto, proprio il passaggio dell'editoria a industria della cultura rende ancora piú avvertibile questo contrasto da sempre insito nella letteratura: il vendere e lo scrivere, il *consumo* e l'*esperimento*. Con questo non si vuol dire che *Il Gattopardo* sia stato scritto, o pubblicato, con l'occhio alle vendite. Ma certo l'industria culturale ha finito per condizionare gli stessi autori, inducendo molti a scrivere entro una fascia « media », in tutti i sensi.

    [4] « Il Ponte », XIV, 1958, pp. 528-536.

È proprio una strana rivista monografica fondata da Vittorini, « Il menabò », a porre vistosamente il problema industria-letteratura. Scriveva Calvino: « Non mi pare che ci siamo ancora resi conto della svolta che si è operata, negli ultimi sette o otto anni, nella letteratura, nell'arte, nelle attività conoscitive piú varie e nel nostro stesso atteggiamento verso il mondo. Da una cultura basata sul rapporto e contrasto tra due termini, da una parte la coscienza la volontà il giudizio individuali e dall'altra il mondo oggettivo, stiamo passando o siamo passati a una cultura in cui il primo termine è sommerso dal mare dell'oggettività, dal flusso ininterrotto di ciò che esiste. Diciamo subito che un mutamento di questo genere non entrava nei nostri piani, nelle nostre profezie, nelle nostre aspirazioni; ma ormai non si tratta piú di accettarlo o di rifiutarlo; già ci siamo dentro; la geografia del nostro continente culturale è profondamente cambiata sotto quest'alluvione imprevista e che pure ha preso forma lentamente e ben visibilmente sotto i nostri occhi; il riconoscerlo però non vorremmo equivalesse per noi a un arrenderci, a un lasciarci annegare anche noi nel magma, come coloro che credono di capirlo e contenerlo identificandosi con esso. I termini del discorso etico-politico che ci è sempre stato a cuore, quella tensione tra individuo, storia e natura che usavamo come filo conduttore per scegliere e ordinare il nostro albero genealogico letterario, continueremo a ritenerli validi anche sullo scenario di questo silenzioso cataclisma ».[5]

E Bassani, parlando del *nouveau roman*:

« Nell'immediato anteguerra, Carlo Cassola scrisse due piccoli libri di racconti (*La visita*, *Alla periferia*) che anticipano curiosamente la visività da obiettivo fotografico di Butor, Robbe-Grillet, Nathalie Sarraute. Anche i racconti di Bilenchi, della stessa

5 I. CALVINO, *Il mare dell'oggettività*, in « Il menabò », n. 2, 1960.

epoca, sono prevalentemente visivi. Ma a quel tempo, in Italia, c'era il fascismo, la dittatura. La retorica piú smaccata, piú indecorosa, impregnava ogni manifestazione pubblica e privata, pratica o intellettuale. In quelle circostanze, l'"assenza" dell'arte, la sua purezza, ebbero una precisa giustificazione, e rappresentarono effettivamente una protesta dell'intelligenza e del gusto contro la noiosa e offensiva volgarità delle sfere ufficiali. Ora, io sono lontanissimo dal proporre l'equazione fascismo-gollismo. Eppure... Ad ogni modo non mi pare azzardato prevedere che la fortuna, in Italia, di manierismi narrativi del genere di quelli di Butor, Robbe-Grillet, Nathalie Sarraute, dipenderà in gran parte dalla sorte che sarà riservata alla nostra democrazia. L'impassibilità mortuaria del *Voyeur* e della *Jalousie* evoca direttamente la dittatura del grande capitale industriale, il "moderno" qualunquismo neocapitalista e neopositivista (e la conseguente messa al bando dei comunisti) ».[6]

Intanto la tecnica dell'industria culturale si fa sempre piú precisa: grazie alla televisione e alla stampa si giunge a un forte condizionamento capace di creare una vera e propria domanda indotta; attraverso la pubblicizzazione dei premi letterari, ad esempio, si conquistano nuove fasce di lettori. Cosí nel 1962, quando il prestigioso premio internazionale di letteratura Formentor viene assegnato ad Uwe Johnson, e Dacia Maraini ottiene il premio per l'opera prima, la risonanza è quasi da rotocalco. Questioni socio-letterarie vengono ora ospitate in sedi non usuali: è il caso del dibattito su alienazione e sperimentalismo, che vede intervenire sul « Corriere della Sera » e su « L'Espresso », Montale, Benedetti, Moravia, Volponi, Pasolini, C. Levi.

A questo aumento della presenza pubblica della let-

[6] G. BASSANI, intervista rilasciata a « Nuovi Argomenti », maggio-agosto 1959.

teratura, corrisponde un ampliamento delle fasce di lettori, dovuto soprattutto a un miglioramento delle condizioni sociali e scolari della popolazione. Aumentano, infatti, anche le tirature dei testi scientifici o di saggistica. Nel '60 Einaudi ripropone la « Piccola Biblioteca Scientifico Letteraria » sotto il nuovo nome di « Piccola Biblioteca Einaudi » (PBE). Sempre nei primi anni sessanta si verifica un fatto significativo: la prima edizione della Enciclopedia della Scienza e della Tecnica Mondadori (EST), varata, secondo una programmazione piuttosto accurata, con tirature elevate, è subito esaurita.

Ma i grandi editori non sembrano avvertire quanto il pubblico domandi anche romanzi italiani di buon livello. Mondadori e Rizzoli non registrano ancora, in questo settore, risultati particolarmente sorprendenti. Saranno Feltrinelli ed Einaudi, due editori in posizione eccentrica per la collocazione politica e con strutture aziendali inferiori, ad anticipare la logica del consumo già presente allora in altri paesi. E se Feltrinelli ottiene un successo di vendite clamoroso con *Il Gattopardo* e *Il dottor Živago*, sarà Einaudi a ottenere quel boom del romanzo italiano di qualità che coglierà di sorpresa l'industria editoriale.

Ne sono protagonisti due autori di buon livello, in posizioni di difesa nei confronti dell'autonomia dell'uomo di lettere. Due autori dal retroterra culturale interessante che già avevano dato ottima prova; Cassola infatti aveva già pubblicato, allora, quelli che la critica indica come i suoi migliori racconti, Bassani le *Cinque storie ferraresi* che erano, da sole, esempio di fedeltà alle proprie ragioni d'esser scrittore. Se nel 1960 il successo commerciale della *Ragazza di Bube* è più che notevole, le vendite del *Giardino dei Finzi-Contini* — al quale viene assegnato il premio Viareggio — raggiungono, già nei primi mesi del '62, livelli che ricordano quelli del *Gattopardo*.

È poi da rimarcare come questi due autori, così diversi sotto molti aspetti, siano accomunati nel successo anche dal salto *quantitativo*: questo passaggio dal racconto al romanzo come « *ampio sfruttamento* del nucleo originario dell'ispirazione, può essere considerato come un episodio e insieme come una manifestazione dell'evoluzione crescente del nostro mercato editoriale e culturale. Questo offre allo scrittore la possibilità di raggiungere una massa di pubblico inimmaginabile in passato [...]; *in cambio* gli chiede la *esplicitazione* e la *volgarizzazione* del proprio punto di vista. Il fenomeno non è, naturalmente, consapevole in assoluto né da una parte né dall'altra (per quanto, probabilmente, alcuni elementi coscienti vi siano da ambedue le parti); questo non significa che esso non esista e non si manifesti anche con una certa pesantezza ».[7]

Nel 1963 Einaudi pubblica un difficile romanzo di Gadda, già apparso in rivista negli anni dal '38 al '41: *La cognizione del dolore*. La prefazione è di uno dei nostri piú prestigiosi critici, e il piú fedele tra i critici gaddiani: Gianfranco Contini. Il romanzo, sostenuto strenuamente da Vittorini, Moravia, Piovene e Calvino, ottiene il premio Formentor. Lo schivo autore, al quale in patria il Gruppo 63 (cioè a dire la neoavanguardia italiana) rende i dovuti onori, viene tradotto e conosciuto all'estero, mentre Garzanti ed Einaudi attendono alla pubblicazione di inediti gaddiani. Ormai i tempi sembrano cosí favorevoli al romanzo che ci si azzarda persino a tradurre in italiano opere come *The recognitions*, ostico *pastiche* di quasi mille pagine (« Non escludo che sia un libro da farsi, — scriveva Bazlen — con prognosi finanziaria piuttosto buona »)[8] dell'americano William Gaddis.

In linea di principio, però, l'editoria conferma una scelta di testi convenzionali; ed è significativo che sia proprio il romanzo a definirsi sul mercato come prodotto di massa.

[7] A. ASOR ROSA, *Scrittori e popolo*, Roma, Samonà e Savelli, 1975³, p. 345.
[8] R. BAZLEN, *op. cit.*, p. 89.

Einaudi, intanto, è costretto a cedere a Mondadori il suo splendido catalogo, dando contemporaneamente inizio alle collane tascabili. Ma è nel 1965, con la pubblicazione di *Addio alle armi* nella nuova collana degli Oscar — testi economici tutti collaudati, quando non già dei classici, uniti dalla grafica (marchio vistoso, risvolto accattivante rispetto al gusto medio del pubblico, pertanto poco avvertito criticamente) —, che Mondadori sancisce il passaggio dell'editoria all'industria: « Di molto si è esteso il pubblico attento alle novità della narrativa e della poesia; alcuni nostri scrittori hanno ormai, come si dice, una presenza e un'udienza internazionale. Ormai è lecito supporre l'esistenza di una categoria di consumatori relativamente stabilizzata [...] Dove convivenza e necessità politica santificano il compromesso, una società — o la sua apparenza — fa godere ai letterati una qualche considerazione istituzionale [...] Decadenza dello scrittore dalla figura di coscienza marciante della società del dopoguerra; sua nuova ufficialità ma anche nuova separazione in una « riserva indiana », sorvegliata dallo sguardo sprezzante dei neopolitecnici; suo accesso agli strumenti culturali di massa (cinema, radiotelevisione, grandi quotidiani o settimanali) mediato, controllato e deformato dai funzionari organici dell'industria e della politica culturale. A queste mutazioni maggiori se ne accompagnano naturalmente altre minori; perde rilevanza la tradizionale maschera dell'autore inedito e del misconosciuto genio di provincia; tramonta, con la scomparsa di alcuni notevoli scrittori dell'età dei nostri padri, la figura del narratore e poeta « nativo »; migliora in media, per le accresciute esigenze delle cancellerie culturali, pubbliche e private, lo stato economico dello scrittore, anche se il suo potere contrattuale rimane immutato ».[9]

---

[9] F. FORTINI, *Stato civile dei letterati*, citato da *L'Italia è giovane*, Milano, Mondadori, 1961, pp. 337, 338, 339.

LA VITA

Giorgio Bassani nasce a Bologna, il 4 marzo 1916, da una famiglia che è ferrarese da molte generazioni. Ed è a Ferrara infatti, la «città di pianura» dove, in via Cisterna del Follo, egli possiede ancora una casa, che lo scrittore, insieme al fratello Paolo e alla sorella Jenny, vive gli anni dell'adolescenza e della giovinezza.

Sono anni apparentemente felici, e facili. All'ombra della famiglia — una famiglia appartenente a quel cospicuo ceto ebraico-emiliano di proprietari terrieri alieni dai traffici e dalle speculazioni[10] — il giovane Bassani condivide le esperienze di vita della migliore borghesia cittadina. Come dice egli stesso:

> «Non ero tipo da esami di coscienza, allora. Ero un ragazzo dotato di un fisico eccellente (giocavo al tennis niente affatto male: ormai posso dirlo senza falsa modestia), e la vita, per me, era tutta da scoprire: qualcosa di aperto, di vasto, d'invitante, che mi stava dinanzi; e a cui mi abbandonavo con impeto cieco, senza voglia, mai, di ripiegarmi su me stesso un momento solo».[11]

Nel '34, conseguita la maturità classica presso il Liceo Ludovico Ariosto, il futuro scrittore, che già aveva manifestato un grande amore per la musica, si iscrive alla facoltà di lettere dell'Università di Bologna, rompendo una lunga tradizione familiare: il padre infatti, pur non esercitando, era medico; e cosí il nonno materno, professor Minerbi.

Risale a questi primi anni universitari l'amicizia con Attilio Bertolucci, Francesco Arcangeli, Augusto Frassineti; e poi, Sergio Telmon, Carlo Ludovico Ragghianti

---

[10] Si veda, a questo proposito, R. BERTACCHINI, *Appunti sul semitismo di Bassani*, in *Problemi e figure di narrativa contemporanea*, Bologna, Cappelli, 1960, p. 303 sgg.
[11] G. BASSANI, *Le parole preparate e altri scritti di letteratura*, Torino, Einaudi, 1966, p. 206.

e Cesare Gnudi, coi quali in seguito si ritroverà nelle file del Partito d'Azione. Sono, questi primi anni d'università, un periodo cruciale nella formazione dello scrittore: nel '35, insieme all'amico d'infanzia Lanfranco Caretti, ebbe a frequentare alcuni professori di prima nomina giunti a Ferrara dalla Normale di Pisa; con Claudio Varese, Giuseppe e Franco Dessí, Mario Pinna, Bassani ha uno stretto sodalizio che gli permette d'arricchire la propria formazione essenzialmente umanistico-letteraria con apporti filosofici (sotto il segno di Croce — che lo scrittore citerà sempre come suo « unico vero grande maestro » — e Gentile) e piú strettamente politici. E, sempre nel '35, avviene il decisivo incontro con Roberto Longhi, titolare della cattedra di Storia dell'arte all'ateneo bolognese.

Di questo fondamentale magistero-sodalizio ha parlato a lungo Bassani in prima persona, ricordando come quelle lezioni e in genere il tempo passato in compagnia del Longhi ebbero un'importante funzione formativa sia per l'uomo sia per lo scrittore. E come anche il suo esordio letterario sia posto, in certo senso, sotto tal segno:

« Critici si nasce: poeti si diventa — ha detto Roberto Longhi —. Nella primavera del '42, il primo impulso a scrivere versi mi venne, piú che dalla vita e dalla realtà, dall'arte, dalla cultura [...] Seguivo, oltre a ciò, i miei amici storici dell'arte [...] sulle tracce dei pittori ferraresi e bolognesi del Cinque e Seicento: cosicché la campagna tra Ferrara e Bologna, che il mio treno percorreva quasi quotidianamente, mi si mostrava attraverso i colori, intrisi d'una luce come velata, di quelle antiche pitture. La primavera del '42! Stalingrado, El Alamein, e il futuro incerto, oscuro... Eppure, nonostante tutto, la vita non mi è mai piú apparsa cosí bella, cosí bella e struggente come allora ».[12]

12 G. BASSANI, *L'alba ai vetri*, Torino, Einaudi, 1963, p. 85.

Ma, prima d'arrivare agli anni di Stalingrado, l'Italia aveva attraversato un momento fondamentale nella vita dello scrittore: il 1938, anno del manifesto sulla razza e della legislazione antisemita. La tolleranza della società emiliana non è che un ricordo, e il *milieu* ebraico si trova nuovamente esposto a un crudele arbitrio. All'insicurezza e all'instabilità dei tempi si aggiunge la piú atroce delle « colpe »: quella dovuta alla propria nascita e al proprio credo. Il giovane Bassani che, laureatosi con una tesi su Tommaseo, insegna già in un istituto israelita, ne resta sconvolto. È la fine di un mondo, ma è anche una seconda nascita.

Cosí Cancogni interpreta la reazione dell'amico: « E d'un tratto la catastrofe, le leggi razziali del '38 che lo avevano strappato violentemente dalla società in cui era cresciuto, mostrandogli ciò che essa era in realtà (ingiusta, crudele, volgare) mostrandogli ciò che lui stesso era stato (egoista, indifferente, cinico). Cosí era cominciato il rimorso, molto piú forte del rancore verso chi l'aveva colpito ».[13]

Il fratello Paolo, già costretto per motivi *razziali* a frequentare l'università a Grenoble, ne viene espulso quando l'Italia dichiara guerra alla Francia. E certo negli anni della guerra l'impegno politico dello scrittore — che pure, con lo pseudonimo di Giacomo Marchi, ha pubblicato nel '40 il volumetto *Una città di pianura* — sopraffà l'impegno letterario. Spesso è in missione, a Milano per contatti con La Malfa e Parri, a Firenze o a Roma, dove si incontra con Capitini e De Ruggiero.

Nel '43 piú di cento antifascisti ferraresi, e tra questi lo scrittore, vengono arrestati senza processo; la libertà si avrà soltanto alla caduta del regime, il 26 luglio dello stesso anno.

In agosto, Bassani si sposa con Valeria Sinigallia e si trasferisce a Firenze, dove lo raggiungeranno i fami-

[13] M. CANCOGNI, *I rimorsi di Bassani*, in « L'Espresso », 2 settembre 1962.

liari. Partecipa attivamente alla Resistenza, trasferendosi a Roma — città dove tuttora risiede con la moglie e i due figli — poco prima dell'arrivo degli anglo-americani.

Nel '45 esce un suo libro, *Storie di poveri amanti e altri versi.* Sono anni difficili che vedono Bassani accettare diversi lavori. Nel '47 pubblica una seconda raccolta poetica, *Te lucis ante.* Dal '48, cioè dall'anno della fondazione, egli diviene redattore di « Botteghe Oscure », la rivista con cui Marguerite Caetani si era proposta di continuare in Italia l'opera da lei intrapresa in Francia con « Commerce ». Cosí la ricorda lo scrittore:

> « Ero, a quel tempo, nel 1947, ancora in gran parte immerso in problemi miei, esclusivamente miei, come accade a qualsiasi giovane, portato a vivere di una realtà prevalentemente interiore e in certo modo ossessiva. Ciò avveniva, per me, anche sul piano letterario. Nonostante gli sforzi che ho fatto per liberarmi, sono cresciuto anch'io fra coetanei per i quali la letteratura era un'ossessione. Marguerite Caetani mi insegnò, non già a prendermi meno sul serio, ma a vedere le cose della mia vita in una prospettiva piú reale ».[14]

Sono gli anni dei racconti della *Passeggiata prima di cena* e dei versi di *Un'altra libertà,* nonché di molte sceneggiature cinematografiche che influiscono sulla struttura narrativa di molte pagine dello scrittore.

Redattore di « Paragone », la rivista d'arte e letteratura fondata da Anna Banti e Roberto Longhi, Bassani pubblica nel '55 *Gli ultimi anni di Clelia Trotti,* lavoro che gli fa vincere il premio internazionale Veillon. Dell'anno dopo è il premio Strega, ottenuto per il complesso dei suoi racconti riuniti sotto il titolo di *Cinque storie ferraresi.* Nel '58 lo scrittore pubblica il romanzo

14 Intervista rilasciata a « L'Europa letteraria », *cit.*

breve *Gli occhiali d'oro* (premio Strega in quello stesso anno) e, come direttore editoriale di Feltrinelli, « scopre » e lancia il primo grande successo di pubblico di quegli anni: *Il Gattopardo* di Giuseppe Tomasi di Lampedusa, romanzo di cui polemicamente Bobi Bazlen dirà che « la pagina piú brutta vale tutti i "gettoni" », definendolo però subito dopo « un buon technicolor da e per gente perbene ».[15]

Presentando il romanzo al pubblico, Bassani, che già andava maturando i temi del *Giardino dei Finzi-Contini*, osserva:

> « Sono persuaso che la poesia, quando c'è — e qui non mi par dubbio che ci sia — meriti di essere considerata almeno per un momento per quello che è, per lo strano gioco di cui consiste, per il primordiale dono di illusione, di verità e di musica che vuol darci anzitutto ».[16]

Cosí, anche parlandone in seguito, dirà:

> « Non è un romanzo storico, come per esempio è apparso a Vittorini e ad altri; e nemmeno nella costruzione, dopo tutto. A mio parere, *Il Gattopardo* va visto piuttosto sotto l'aspetto di un felicissimo caso di poema nazionale ».[17]

Nel 1960, anno in cui « Botteghe Oscure » cessa le pubblicazioni, Bassani cura una nuova edizione accresciuta delle *Storie ferraresi*. Sarà nel '62, dopo una lunga incubazione, che pubblicherà *Il giardino dei Finzi-Contini* conoscendo finalmente, oltre alla stima della critica, un oltremodo vasto successo di pubblico. Il romanzo, il primo vero romanzo di Bassani, si aggiudica il premio Viareggio.

Alla domanda se, come « scopritore del *Gattopardo* »

---

[15] R. BAZLEN, *op. cit.*, p. 37.
[16] G. BASSANI, prefazione a *Il Gattopardo*, Milano, Feltrinelli, 1958, p. 13.
[17] In « L'Europa letteraria », *intervista cit.*

e « felice e fortunato autore del *Giardino dei Finzi-Contini*, non ha talvolta l'impressione di essere un po' sovrastato, se non impedito, da due cosí clamorosi successi », Bassani risponde:

> « [...] allo stesso modo che il silenzio o il disinteresse del pubblico non mi avrebbero mai indotto — come non m'indussero —, nei lontani anni della mia gioventú, a distogliermi dalla contemplazione della mia verità, cosí ritengo che nessun clamore potrà mai distrarmi, in futuro, dal testimoniare quel che avrò da testimoniare. L'importante è di continuare ad aver da dire qualche cosa. Sono stati sempre loro, i temi dei miei libri, a venirmi incontro, a chiedermi insistentemente di prender forma ».[18]

Del '63 è la raccolta di versi *L'alba ai vetri*, silloge dei volumi precedenti, mentre l'anno successivo lo scrittore pubblica quel *Dietro la porta* che molta critica considerò il tipico libro che fa seguito al capolavoro.

Frattanto Bassani va raccogliendo quelli che ritiene i suoi saggi piú significativi — collaborazioni a « Nuovi Argomenti », « Il Mondo » (quello fiorentino, diretto da Bonsanti e Montale), « Letteratura », « La Fiera letteraria », « Il Giorno », « Corriere della Sera » — in un insieme che, con il titolo di *Le parole preparate e altri scritti di letteratura*, viene edito nel '66. Nella raccolta non figura il saggio introduttivo al *Gattopardo*.

Dimessosi dalla carica di vicepresidente della RAI, è per vari anni presidente di « Italia Nostra », l'associazione per la tutela del paesaggio e del patrimonio artistico nazionale alla quale devolve, nel 1969, l'ammontare del premio Campiello, ottenuto per il romanzo *L'airone*. Nello stesso anno, il premio internazionale Nelly Sachs è assegnato allo scrittore per l'intero complesso della sua opera. Del '72 è la raccolta di rac-

18 *Ibid.*

conti *L'odore del fieno*, che vede ripresi con varianti stilistiche e strutturali racconti in parte già editi,[19] mentre nel 1974 si ha un ritorno alla poesia con il volume di versi *Epitaffio*. Del '78 è la raccolta poetica *In gran segreto*.

Sempre per l'editore Mondadori, dell'82 è la raccolta *In rima e senza*, dell'84 *Di là dal cuore* nonché, testimonianza del costante impegno dello scrittore a difesa dell'ambiente, la Nota introduttiva a *Guida alla Natura d'Italia*, a cura di G. Farneti, F. Pratesi, F. Tassi.

Sempre dell'84 la ristampa, presso l'editore Bompiani, della traduzione del fortunato romanzo di J. M. Cain, *Il postino suona sempre due volte*, compiuta da Bassani nel 1946.

Ancora presso Mondadori, nel 1980, *Il romanzo di Ferrara*, che ripropone, con varianti, gran parte dell'opera narrativa dello scrittore; ad esso si rifà, con varianti stilistiche rispetto alle precedenti, l'edizione Mondadori del *Giardino* datata 1983. Da queste revisioni prende vita un saggio di critica stilistica che André Sempoux sta per pubblicare in lingua francese: oggetto, appunto, le varianti in Bassani.

---

[19] Si vedano, a questo proposito, I. BALDELLI, *Varianti di prosatori contemporanei*, Firenze, Le Monnier, 1965; G. VARANINI, *Bassani*, Firenze, La Nuova Italia, 1973[2]; M. GRILLANDI, *Invito alla lettura di Giorgio Bassani*, Milano, Mursia, 1976[3].

II

IL GIARDINO DEI FINZI-CONTINI

LA VICENDA E LE SUE STRUTTURE NARRATIVE

Da piú critici è stato notato come la struttura con-
centrica del *Giardino* — scritto in prima persona e
composto da un *Prologo*, quattro parti e un *Epilogo*
non perfettamente conseguenti nel tempo ma soggetti
agli strappi della memoria — sia essenzialmente musi-
cale, e come anzi « fin dal prologo tutto si dispone a
nascere e a morire come tutto nasce e muore nella musica: con una tessitura ritmica che allarga via via cer-
chi sempre piú vagamente tremolanti e con isolate voci
di strumenti che, quasi solisti di una orchestra, illumi-
nano e quasi folgorano senza tuttavia impietrarli momenti decisivi di questa storia sentimentale ».[1]

Il prologo, che introduce con grande sapienza poetica il tema della morte e dell'immutabilità, si apre con
il ricordo dell'occasione che ha permesso all'io narrante
di « scrivere dei Finzi-Contini — di Micòl e di Alberto,
del professor Ermanno e della signora Olga —, e di
quanti altri abitavano o come me frequentavano la casa
di corso Ercole I d'Este, a Ferrara, poco prima che

[1] M. STEFANILE, ne « Il Mattino », 9 aprile 1962. Cosí Bassani, del
resto, nella prefazione al *Gattopardo* (*op. cit.*, p. 10): « La vita è mu-
sicale, si sa. Sui suoi temi fondamentali, sulle sue "frasi" piú intense,
non ama indugiare. Si limita a dartele di furto, ad accennartele appena »,

scoppiasse l'ultima guerra».[2] Una domenica dell'aprile
1957, la comitiva di cui fa parte anche il narratore è
ricacciata dal maltempo dalla costa verso le colline, in
« quel tratto del territorio del Lazio a nord di Roma il
quale non è altro, dunque, che un immenso, quasi ininterrotto cimitero » (p. 5). Mentre, giunti a Cerveteri, si
accingono a visitare la necropoli, la piccola Giannina
chiede « perché le tombe antiche fanno meno malinco-
nia di quelle piú nuove »; e alla risposta del padre:

> « I morti da poco sono piú vicini a noi [...] Gli
> etruschi, vedi, è tanto tempo che sono morti [...]
> come se siano *sempre* stati morti » (p. 6)

replica dicendo che ciò le fa « pensare che anche gli
etruschi sono vissuti, invece, e voglio bene anche a loro
come a tutti gli altri » (p. 7). La « straordinaria tenerezza di questa frase » favorisce il rimmemorare dell'io
narrante:

> « E intanto, deposta volentieri ogni residua velleità
> di filologico scrupolo, io venivo tentando di figurar-
> mi concretamente ciò che potesse significare per [...]
> gli etruschi dei tempi posteriori alla conquista ro-
> mana, la frequentazione assidua del loro cimitero
> suburbano. Venivano dal prossimo abitato [...]. Si
> inoltravano fra le tombe a cono, solide e massicce
> come i *bunker* di cui i soldati tedeschi hanno sparso
> vanamente l'Europa durante quest'ultima guerra
> [...]. Il mondo cambiava, sí — dovevano dirsi —
> [...]. Nuove civiltà [...] tenevano ormai il campo.

---

[2] *Il giardino dei Finzi-Contini*, Milano, Mondadori (Oscar), 1976,
p. 3. L'edizione presenta alcune varianti rispetto alla prima edizione
Einaudi. (Riferimenti a citazioni successive saranno incorporati nel
testo.) Lo scarto tra io narrante e romanziere sussiste, anche se non
mancano tratti comuni (la composizione del nucleo familiare, studi e
predilezioni letterarie, il fratello minore studente a Grenoble); e si
veda, in un'intervista con C. Garboli pubblicata sulla « Fiera letteraria » del 31 ottobre 1968, la coincidenza nell'occasione a scrivere il
romanzo: « una gita a Cerveteri, una visita alla necropoli etrusca. E
tutto quello che avevo dentro mi balzò di nuovo nella mente, in una
forma definitiva ».

Ma che cosa importava? [...]. Il futuro avrebbe
stravolto il mondo a suo piacere. Lí, tuttavia, nel
breve recinto sacro ai morti famigliari [...] almeno
lí [...] almeno lí nulla sarebbe mai cambiato »
(pp. 7-8)

e genera il trapasso d'immagine che si risolverà in ri-
cordo-racconto:

« Ma già, ancora una volta [...], io riandavo con la
memoria agli anni della mia prima giovinezza, e a
Ferrara, e al cimitero ebraico posto in fondo a via
Montebello. Rivedevo [...] la tomba monumentale
dei Finzi-Contini [...] E mi si stringeva come non
mai il cuore al pensiero che in quella tomba [...]
uno solo, fra tutti i Finzi-Contini che avevo conosciuto ed amato io, l'avesse poi ottenuto, questo ri-
poso. Infatti non vi è stato sepolto che Alberto, il
figlio maggiore, morto nel '42 di un linfogranuloma.
Mentre Micòl, la figlia secondogenita, e il padre
professor Ermanno, e la madre signora Olga, e la
signora Regina, la vecchissima madre paralitica della signora Olga, deportati tutti in Germania nell'autunno del '43, chissà se hanno trovato una sepol-
tura qualsiasi » (p. 9).

Su questo tono alto, dopo aver delineato il tema che
sarà il *leitmotiv* del romanzo — quel « desiderio d'immutabilità che finisce col credere che valore e immutabilità coincidano »,[3] enucleato da Fortini —, si chiude
il prologo. E il primo capitolo della prima parte si
apre con una vera e propria ripresa:

« La tomba era grande, massiccia, proprio imponente: una specie di tempio tra l'antico e l'orienta-
le » (p. 13),

occasione per tracciare la storia della famiglia Finzi-
Contini sino agli anni tra le due guerre.

---

[3] F. FORTINI, *Saggi italiani*, Napoli, De Donato, 1974, p. 238.

« Chissà come nasce, e perché, una vocazione alla
solitudine. Sta il fatto che il medesimo isolamento,
la medesima separazione di cui i Finzi-Contini avevano circondato i loro defunti, circondava anche
l'*altra* casa che essi possedevano » (p. 15),

quella che l'autore ci dipinge, sul finire del capitolo, di-
strutta dai bombardamenti e dalle violenze degli sfollati.
Cosí la narrazione, giocata sulla « voce fuori campo »
dell'autore, riprendendo per la seconda volta il solenne
incipit — « Se della tomba di famiglia » — introduce,
con movimento quasi da carrellata cinematografica, alla « *magna domus* » testimone muta delle vicende di
quattro generazioni di Finzi-Contini. In questo raccon-
tare fatto di allusioni, di pause, di salti, di riprese, la
voce dell'io narrante lascia spesso il campo a un indiretto libero piú volte riferito alla figura paterna vista
come portavoce, nel bene e nel male, dell'intera comunità ebraico-emiliana, quasi corifeo d'un coro ch'è testimone, spettatore e attonito attore d'una vicenda piú
ampia (« Certo, certo — ammetteva —: gli ex proprietari [...] ». « Ma con questo? — aggiungeva immediata-
mente —. Era proprio necessario, soltanto per questo
[...] ». « Altro che aristocrazia! Invece che darsi tante
arie, avrebbero fatto assai meglio [...] » (pp. 20-21).
Il particolare uso di questo tipo d'indiretto libero, che
narra e narrando commenta e si commenta, è peculiare
di questa prima parte del romanzo, dove isola e illumina — ma dall'esterno — le figure dei Finzi-Contini. È
d'altronde un commento troppo estraneo al suo oggetto
perché l'io narrante possa assumerlo in prima persona;
si attenua infatti già nell'episodio della morte di Guido,
il fratello d'Alberto e Micòl spentosi a sei anni per pa-
ralisi infantile, per lasciar voce solo al ricordo dell'io
narrante non appena compaiono, ben circoscritte ormai
nelle ascendenze della famiglia, richiamate dalla memoria, le figure di Alberto e Micòl nelle « meravigliose,
adolescenti mattine di tarda primavera » (p. 33).

Qui la memoria, da collettiva qual era nei primi due capitoli del libro, si fa personale, pur senza tralasciare tutta una serie di rapidi, discreti accenni alla società ferrarese di quegli anni, contemplata — soprattutto nella figura del professor Meldolesi («del prete, del piccolo, arguto, quasi femminile prete di campagna aveva moltissimo», p. 29) — con affettuosa ironia. Ma il ricordo, sin qui sapientemente orchestrato in una serie di contrappunti, si apre, ora, e si alza di tono nel riandare ai primi contatti con Alberto e Micòl, quando i due fratelli, in «un *brum* azzurro-scuro dalle grandi ruote gommate, le stanghe rosse, e lustro tutto di vernici, cristalli, nichelature» (p. 32), venivano condotti al liceo Guarini per sostenere gli esami come privatisti. Contatti, questi, che assumevano un tono particolare, la luce «di qualcosa di piú intimo [...] di una certa speciale complicità e connivenza» (pp. 34-35), che si spiega con l'esser «cresciuti nell'osservanza di un medesimo rito» (p. 35). La descrizione delle cerimonie alla Sinagoga, intessuta di termini ebraici e di acute caratterizzazioni — si impongono i due fratelli Herrera visti «parlottare fra loro mezzo in veneto e mezzo in ispagnolo (*"Cossa xé che stas meldando? Su, Giulio, alevantate, ajde! E procura de far star in pie anca il chico..."*), e poi smettere, d'un tratto, e unirsi a voce altissima, in ebraico, alle litanie del rabbino» (p. 38) — colte dall'occhio attento del narratore fanciullo, critico e a un tempo «attratto dalla diversità nella stessa misura in cui mio padre ne era respinto» (p. 38); la descrizione, dicevo, culmina nel «momento supremo, e finale, della *berahà*» (p. 41):

«Ma intanto, da dove ero, io guardavo di sotto in su, con stupore e invidia sempre nuovi, il volto rugoso e arguto del professor Ermanno [...]. Lo guardavo. Sotto di lui, per tutto il tempo che durava la benedizione, Alberto e Micòl non cessavano di esplorare, anche essi, tra gli spiragli della loro tenda. E mi sorridevano, e mi ammiccavano, ambedue curiosamente invitanti: specie Micòl » (p. 42).

Tutta la partitura polifonica dei primi capitoli (tesa, come sempre in Bassani, all'evidenza del reale e alla verosimiglianza storica) pare dunque restringersi, e illimpidirsi, e quasi mettere a fuoco, infine, con vera tecnica cinematografica, questo primo piano di Micòl occhieggiante sotto il *talèd*. Questo episodio prelude direttamente a uno dei momenti piú complessi e poetici del libro: all'incontro del narratore quindicenne con una Micòl ormai già ragazzina. È un passo molto importante, dove Bassani padroneggia in modo mirabile « quel complesso d'esigenze e problemi, morali e formali, che si riferiscono alla cosiddetta *realizzazione* ».[4] Rimandato a settembre in matematica, in preda a una forte tensione il narratore vaga, in bicicletta, lungo le mura urbane:

« Mi fermai sotto un albero [...]. Deserto assoluto, intorno [...]. Mi sdraiai nell'erba, bocconi accanto alla bicicletta, col viso, che mi scottava, nascosto nella piega del gomito [...]. A quell'ora, certo — pensavo —, a casa mia avevano già saputo » (pp. 46, 47).

Ma le fantasticherie sulla disperazione dei genitori, sui timori, sulle ricerche, vengono interrotte bruscamente:

« Alzai lentamente il capo, girandolo a sinistra, contro sole. Chi mi chiamava? [...]. Guardavo, cercavo, socchiudendo gli occhi al riverbero. Ai miei piedi (solo adesso me ne rendevo conto), [...] si stendeva il Barchetto del Duca » (pp. 48, 49).

Chi lo chiama, dall'alto del muro, è Micòl che già sa da Meldolesi della disavventura scolastica.

---

[4] E. CECCHI, in « Corriere della Sera », 17 settembre 1954.

« Era la prima volta che mi rivolgeva la parola. Di
piú: era la prima volta, in pratica, che la sentivo
parlare. E fin d'allora notai quanto la sua pronuncia assomigliasse a quella di Alberto. Parlavano ambedue nello stesso modo: lentamente, in genere,
sottolineando certi vocaboli di poco rilievo, di cui
essi soli sembravano conoscere il vero senso, il vero
peso, e invece sorvolando in modo bizzarro su altri,
che uno avrebbe detto di importanza molto maggiore. La consideravano, questa, la loro *vera* lingua:
la loro particolare, inimitabile, tutta privata deformazione dell'italiano. Ad essa davano perfino un
nome: il finzi-continico » (p. 50).

Il dialogo ricco di spirito e d'infantile innocenza che
s'intreccia tra il protagonista e una Micòl già ricca di
femminile volubilità — dialogo reso da Bassani con
precisione quasi teatrale, senza far ricorso all'indiretto
libero, e che assume la vivezza e la verità piú che delle
cose rievocate, di un eterno presente — culmina nell'invito ad entrare nel giardino scavalcando il muro. Al-
l'obiezione del ragazzo, che vorrebbe « passar per di là
[...] dal portone d'ingresso », Micòl oppone che « se
passi di là [...] non c'è piú nessun gusto » (p. 56). L'invito a compiere un atto che suggelli una trasgressione,
che sia al contempo un segreto tra loro, è evidente e assume con estrema naturalezza un'ulteriore carica sim-
bolica nel suggerimento della ragazza a nascondere la
bicicletta in

« [...] una di quelle piccole, erbose montagnole co-
niche, non piú alte di due metri e con l'apertura di
ingresso quasi sempre interrata, nelle quali è abba-
stanza frequente imbattersi facendo il giro delle
mura di Ferrara. A vederle, assomigliano un po'
ai *montarozzi* etruschi della campagna romana [...].
Senonché la camera sotterranea [...] non ha mai
servito da casa per nessun morto. Gli antichi di-
fensori delle mura vi riponevano armi » (p. 58).

I rimandi immediati (le tombe etrusche, la morte) non distraggano da ulteriori significati simbolici di questa vera e propria *descensus Averno* ignota al narratore ma già affrontata da Micòl:

« "Ci sei mai stato? [...]. No? Io sí, una infinità di volte. È *magnifico*" [...]. Era una sorta di fessura verticale, tagliata al vivo nella coltre d'erba che rivestiva compatta il monticello: cosí stretta, da non consentire il passaggio a piú di una persona per volta [...]. Oltre, non c'erano che tenebre [...]. All'infantile paura del buio e dell'ignoto [...] s'era venuto sostituendo in me, a mano a mano che m'inoltravo nel budello sotterraneo, un senso non meno infantile di sollievo: come se, essendomi sottratto in tempo alla compagnia di Micòl, fossi scampato a un gran pericolo [...]. Una materia a ottobre: aveva ragione, Micòl, di riderci su. Che cos'era una materia a ottobre a paragone del resto (e tremavo) che laggiú, nel buio, sarebbe potuto succedere tra noi? Forse avrei trovato il coraggio di darle un bacio, a Micòl: un bacio sulle labbra. E poi? Che cosa sarebbe accaduto, poi? [...]. Che cosa avrei dovuto fare, allora, per riempire i minuti e le ore? Oh, ma questo non era accaduto, fortunatamente. Meno male che mi ero salvato » (pp. 59-61).

Al desiderio-timore dell'adolescente subentra ora una fantasia onirica: restare per sempre nascosto laggiú, celato al mondo, curato da Micòl che

« [...] sarebbe venuta da me ogni giorno, scavalcando il muro di cinta del suo giardino, d'estate come d'inverno. E ogni giorno ci saremmo baciati, al buio: perché io ero il suo uomo, e lei la mia donna » (pp. 62-63).

Ma quando il ragazzo ritorna alla luce, Micòl, a cavalcioni sul muro, viene richiamata a casa. L'iniziazione, perché Bassani ci fa assistere a una vera e propria iniziazione, dove Micòl, « tranquilla come se il nostro non fosse stato un incontro casuale, affatto fortuito » (p. 51), guidando il ragazzo attraverso il buio grembo della terra lo restituisce a una consapevolezza nuova:

> « D'un tratto m'ero accorto che la questione della bocciatura era diventata secondaria, una faccenda bambinesca che si sarebbe sistemata da sé » (p. 51),

l'ingresso al magico giardino sfugge temporaneamente al narratore, è rimandato di quasi dieci anni, quando, due mesi dopo le leggi razziali, il giovane, escluso con altri dal circolo del tennis Eleonora d'Este, viene invitato telefonicamente da Alberto Finzi-Contini a frequentare il loro campo privato.

Se l'inaspettata proposta genera la perplessità del narratore, scatena in suo padre una serie di commenti tra l'infastidito, l'ironico e lo smarrito nei confronti dei Finzi-Contini che, secondo lui, dopo essersi per anni completamente estraniati dalla comunità ebraica (hanno persino ottenuto « il permesso di restaurare a proprie spese, "per uso della famiglia e degli eventuali interessati", l'antica, piccola sinagoga spagnola di via Mazzini, da almeno tre secoli sottratta al culto e adibita a magazzino di sgombero », p. 25):

> « [...] *halti* come erano sempre stati (contrari al fascismo, va bene, ma soprattutto *halti*) [...] era nel ghetto, evidentemente, che sognavano di veder rinchiusi tutti quanti: disposti, magari, in vista di questo bell'ideale, a lottizzare il Barchetto del Duca per farne una specie di *kibbùz* sottoposto al loro alto patronato » (pp. 75, 76).

Il contrasto « generazionale » tra padre e figlio, che percorre tutto il romanzo e si concluderà con un intenso colloquio chiarificatore, permette a Bassani una serie di rimandi storici, di non insistite ma pur precise

annotazioni sociali, tali da far dire a un critico che lo
scrittore « non cede affatto a una memoria evocatrice,
inconscia, lirica, né inserisce le persone e le cose della
realtà in un mondo di immagini, in un intrico di analo-
gie, nelle quali si riassuma la sua vita psichica; ma si
giova di precisi ricordi, cercati come documenti di ar-
chivio, per ricostruirla, la realtà, nella sua certezza sociale e morale: significativa ».[5] Del resto, come ebbe a
dire di sé Bassani stesso, polemizzando sull'accostamento tra la sua narrativa e quella di Cassola: « Io sono storicista e lo dimostro con le analisi di tipo storio-
grafico in cui immergo la realtà umana dei miei personaggi. *Il giardino dei Finzi-Contini* è, da un punto di
vista storicistico, un saggio, che mi permetto di giudi-
care obiettivamente valido, sull'Italia fra l'Ottocento e
il Novecento: e ci son dentro tutte le pezze d'appoggio,
non date per il gusto di darle, ma perché credo che la
cronaca di per sé non conti niente, e perciò cerco di
trasformarla in storia, da buon idealista ».[6]

Cosí, ad esempio, il lungo monologo paterno (pp. 72-
74), riferito dall'io narrante in indiretto libero, a commento dell'invito d'Alberto, ci dice anche la smarrita
volontà d'illusione di un'intera classe sociale che troppo tardi ha aperto gli occhi sulla realtà del fascismo.[7]
Ma la sola telefonata d'Alberto, forse, non sarebbe sufficiente a convincere il narratore; la vera spinta a frequentare il giardino verrà da una telefonata di Micòl,
rientrata a Ferrara da Venezia, dove frequenta la facoltà di lingue. Questo colloquio telefonico — riferito,
con un susseguirsi quasi teatrale di battute, in stile diretto — si svolge sul filo di una leggera ironia contrap-
puntistica:

    [5] G. BELLONCI, in « Il Messaggero », 20 marzo 1962.
    [6] F. CAMON, *La moglie del tiranno*, Roma, Lerici, 1969, p. 91.
    [7] « Cosí le storie degli ebrei ferraresi vengono a costruirsi intorno
a quei caratteristici modi del "discorso indiretto sociale", che Bassani
usa come struttura precipua del suo narrare, facendolo convivere con
la forte presenza psicologica del suo *io* di scrittore », R. BERTACCHINI,
op. cit., p. 336.

« Credi che i fuori-corso li lasceranno finire *ugualmente*? » « Mi rendo conto di darti un dolore, ma non ne ho il minimo dubbio » [...] « Giocare a tennis, ballare, e flirtare, figúrati! » « Onesti svaghi, tennis e ballo compresi » (pp. 78, 79)

che è, oltre che una « cifra » sociale, un tentativo d'abolire, dimenticare le ombre che si stanno addensando. La telefonata di Micòl apre cosí per il narratore, oltre alle porte del mitico giardino, un periodo in cui l'esperienza esistenziale, il privato, l'assorbiranno completamente.

Accolti dal Perotti — « vecchio animale domestico » che è « giardiniere, cocchiere, *chauffeur*, portinaio, tutto » (p. 80) — e da Jor, il decrepito alano arlecchino che, arrestatosi in mezzo al viale in posa scultorea, « ci fissava coi suoi due gelidi occhi senza espressione, uno scuro e uno blu-chiaro » (p. 90), i giovani espulsi dal circolo del tennis per motivi razziali si ritrovano cosí ogni giorno, in un ottobre incredibilmente mite ma già insidiato dall'inverno, nel giardino dei Finzi-Contini. È questo lo scenario che vede lievitare la tenerissima « storia d'un amore tra due esseri che non s'incontrano e passano l'uno a fianco dell'altro, perché non possono vivere nello stesso modo la loro situazione, e ricadono ciascuno nella propria solitudine ».[8] Come per i primi capitoli del libro, anche qui, nel parlare di queste giornate d'autunno che « apparivano troppo belle », tanto che « perderne una sola sembrava proprio un delitto » (p. 92), Bassani, con l'uso accorto dell'*indiretto libero sociale* conduce, sotto un'apparenza di estrema linearità, un lavorío di analisi e di scavo nei confronti dei personaggi, avvicinati a volta a volta con una sorta di moto a spirale che finisce per caratterizzarli in modo estremamente preciso (si veda l'incontro con Adriana Trentini e Bruno Lattes, dove le osservazioni dell'io

8 M. FUSCO, *Le monde figé de Giorgio Bassani*, in « Critique », ottobre 1963.

narrante, i tratti fisici dei due ragazzi — la pelle bianca
chiazzata di rosso di Adriana, la magrezza di Bruno —
e i loro tic linguistici, sottolineati peraltro dalla voce del
narratore, si fondono in un unico insieme).

Cosí, lentamente, con brevi notazioni glissate in tutta naturalezza, acquistano individualità propria la figura dell'amico milanese di Alberto,

> « il "Giampiero Malnate" [...] l'unico, lui, oltre a
> me, che a giocare a tennis non mostrasse di tenere
> esageratamente (giocava piuttosto male, per la veri-
> tà), spesso accontentandosi, quando compariva in
> bicicletta verso le cinque, dopo il laboratorio, di ar-
> bitrare una partita, o di sedere in disparte con Al-
> berto a fumare la pipa e a conversare » (p. 93),

del narratore stesso (si noti il peso, nell'economia del
periodo citato, dell'inciso « oltre a me »), nonché dei
due ospiti, del cui gergo personale abbiamo i primi
esempi sia nella dissertazione di Micòl sul campo da
tennis, che è in condizioni non proprio buone, sia in
quella sullo *Skiwasser*, bevanda che la giovane preferisce a ogni altra:

> « Oh, lo *Skiwasser*! Nelle pause del gioco, oltre a
> addentare qualche panino che sempre, non senza
> ostentazione di anticonformismo religioso, sceglieva
> tra quelli al prosciutto di maiale, spesso Micòl tra-
> cannava a piena gola un intero bicchiere del suo
> caro "beverone" [...], la particolare "variante ita-
> liana, per non dire ferrarese, per non dire... ecce-
> tera eccetera" » (p. 97).

Il lento trascorrere dei giorni viene interrotto solo
dalle presentazioni a quello « che l'Adriana Trentini
chiamava, in blocco, il "*côté* vecchi" » (p. 98); dapprima
solo il professor Ermanno e la signora Olga, con « l'aria
di esser passati dal tennis per caso, di ritorno da una
lunga passeggiata nel parco » (p. 99), poi, la domenica

successiva, seguiti anche dalla signora Regina e dagli zii Herrera di Venezia. Allontanatosi dal gruppo, il narratore è avvicinato dal professor Ermanno; il discorso, dal cimitero ebraico di Venezia cade sugli studi del giovane, sulla sua tesi:

« "Ho saputo da Micòl che sei ancora incerto se laurearti in storia dell'arte o in italiano", mi diceva frattanto il professor Ermanno. "O hai già deciso?" » (p. 107).

La risposta del ragazzo, che si laureerà in italiano — sul Panzacchi — solo perché Roberto Longhi, col quale aveva in animo di laurearsi sui pittori ferraresi del Cinque-Seicento, ha già ottenuto dal ministero due anni di aspettativa, genera un equivoco. Il professor Ermanno crede infatti che il Longhi abbia sostituito, in seguito alle leggi razziali, Igino Benvenuto Supino, ritiratosi invece nel '33 per raggiunti limiti d'età, come si affretta a spiegare il giovane.

« Parlavo, e il professor Ermanno, piú che mai curvo, stava ad ascoltarmi in silenzio. A che cosa pensava? Al numero di "illustrazioni" universitarie di cui si era fregiato l'ebraismo italiano dall'Unità fino ai nostri giorni? Era probabile » (p. 109).

La conversazione si chiude tuttavia su una nota che resta al momento indecifrabile per il narratore:

« "Quando conti di laurearti?", mi chiese infine il professor Ermanno. "Mah. Spererei l'anno prossimo, a giugno. Non dimentichi che sono *anche* io fuori corso". Annuí piú volte, silenziosamente. "Fuori corso?", sospirò, da ultimo. "Beh, poco male". E fece con la mano un gesto vago, come per dire che, con quello che stava succedendo, di tempo ce ne avevamo, davanti a noi, tanto io quanto i suoi figlioli; anche troppo. Ma aveva ragione mio pa-

dre: in fondo non sembrava granché addolorato,
di questo. Tutt'altro » (p. 110).

Intanto, è Micòl a guidare il giovane protagonista
alla scoperta del giardino. Girando in bicicletta (« il
giardino era grande "un" dieci ettari », p. 112), dimentichi del tennis, i due si addentrano, tra i viali, sotto il
folto degli alberi, quegli alberi, « i grandi, i quieti, i
forti, i pensierosi » (p. 114), per i quali Micòl nutre
sentimenti d'intenso affetto:

> « Quanta eleganza, quanta "santità", in quei loro
> tronchi bruni, secchi, curvi, scagliosi! » (p. 115).

E se le piante esotiche vengono indicate con i loro
nomi scientifici, per le piante da frutto coltivate dai figli del Perotti — i pum, i figh, il mugnàgh, il pèrsagh,
il brògn sèrbi, le prugne acerbe di cui Micòl bambina
era tanto ghiotta —,

> « Non c'era che il dialetto per parlare di queste co-
> se. Soltanto la parola dialettale le permetteva, no-
> minando alberi e frutta, di piegare le labbra nella
> smorfia fra intenerita e sprezzante che il cuore
> suggeriva. Piú tardi, esaurite le ricognizioni, eb-
> bero inizio "i pii pellegrinaggi". E poiché tutti i
> pellegrinaggi, secondo Micòl, dovevano esser com-
> piuti a piedi (altrimenti, che razza di pellegrinag-
> gi erano?), smettemmo di usare le biciclette. An-
> davamo a piedi, dunque, quasi sempre accompa-
> gnati passo passo da Jor » (pp. 116-117).

In uno di questi « pellegrinaggi », dopo aver rievocato il loro incontro di quasi dieci anni prima, sorpresi
da un'acquata improvvisa i due giovani riparano in una
bassa costruzione di mattoni bruni, seminascosta dall'e-
dera, un tempo adibita a palestra e ora funzionante come rimessa. Nell'odore « misto di benzina, olio lubri-
ficante, vecchia polvere, agrumi » (p. 123) che impregna

di sé l'interno della rimessa, riposano due vetture: una Dilambda grigia e il vecchio *brum* di un tempo.

« Aprí uno sportello, montò, sedette; infine, battendo con la mano sul panno del sedile accanto a lei, mi invitò a fare lo stesso. Salii, e sedetti a mia volta, alla sua sinistra. E mi ero appena accomodato che, ruotando lentamente sui cardini per pura forza d'inerzia, lo sportello si chiuse da solo, con uno schiocco secco e preciso da tagliola [...]. Pareva davvero di trovarsi dentro un salottino: un piccolo salotto soffocante » (pp. 124-125).

In preda a un'improvvisa emozione, con un tremito nella voce, il narratore si meraviglia per la perfetta manutenzione della carrozza. L'osservazione infastidisce Micòl che si scosta bruscamente dall'amico e, dopo qualche attimo di silenzio, replica osservando:

« Anche le cose muoiono, caro mio. E allora, se anche loro devono morire, tant'è, meglio lasciarle andare. C'è molto piú stile, oltre tutto, ti pare? » (p. 127).

È questo il primo degli episodi in cui avrà modo di manifestarsi un aspetto del carattere di Micòl, enigmatico e imprevedibile, portato a sottrarsi alla tirannia del tempo negando il futuro e accettando di salvare il passato solo nella dimensione della memoria. Il lettore, che già sa, fin dal prologo, come Micòl scomparirà deportata in Germania, può vedere in questo eludere il tempo quasi un presentimento dell'impossibilità di futuro, il rifiuto d'impegnare l'avvenire. Questo episodio segna anche l'inizio del distacco tra i due giovani. L'inverno, infatti, ha definitivamente interrotto gli incontri intorno al campo da tennis. La figura di Micòl si riduce, per il narratore, a una voce raggiunta al telefono. Che tutto ciò, senza che i due possano ancora rendersene conto, rappresenti l'inizio di un lento, inevitabile e doloroso distacco, Bassani stesso lo anticipa nelle prime righe della parte terza:

> « Infinite volte, nel corso dell'inverno, della primavera e dell'estate che seguirono, tornai indietro a ciò che tra Micòl e me era accaduto (o meglio, non accaduto) dentro la carrozza prediletta dal vecchio Perotti. Se quel pomeriggio di pioggia [...] io fossi riuscito perlomeno a parlarle [...]. Parlarle, baciarla: era allora, quando tutto era ancora possibile [...] che avrei dovuto farlo! [...] Lo sapevo già, allora, per esempio, di essermi innamorato *veramente*? Ebbene no, niente affatto: ancora non lo sapevo. Non lo sapevo allora, e non l'avrei saputo per altre due settimane almeno, quando ormai il brutto tempo, divenuto stabile, aveva disperso senza rimedio la nostra occasionale compagnia. [...] Eppure, nonostante il mutamento della stagione, tutto era continuato a procedere in maniera tale da illudermi che nulla in sostanza fosse cambiato » (pp. 131-132).

Le frequenti, insistite telefonate del giovane, accolte dai familiari di Micòl, Alberto compreso, con una sorta di educata indifferenza, non fanno che aumentare questa illusione. Micòl si abbandona a lunghe chiacchierate sui conoscenti comuni — su Bruno Lattes che, per sua fortuna, a causa delle leggi razziali alle quali « dopo tutto, Bruno doveva accendere un cero » (p. 141), non potrà fidanzarsi con l'Adriana Trentini; su Malnate, del quale parla con sarcasmo troppo evidente per non essere ambiguo —, e giunge persino a descrivere pazientemente la propria stanza, con le finestre che guardano a mezzogiorno dalle quali,

> « [...] nascoste a tratti da brandelli di nebbie vaganti, vedeva le quattro torri del Castello, che i rovesci di pioggia avevano rese nere come tizzoni spenti » (p. 136),

con le alte scansie di mogano che ospitano, allineati, i làttimi opalescenti, con la piccola lampada sempre accesa la notte e, vicino, il thermos dello *Skiwasser*. Ma ciononostante resta solo una voce; e quando, con un accenno indifferente a Malnate, che spesso si reca in casa Finzi-Contini a trovare Alberto, il narratore svela « il desiderio d'un tratto acutissimo — e sintomatico — di rivederla » (pp. 143-144), la voce all'altro capo del telefono si comporta « viceversa come se non avesse capito, senza accennare nemmeno indirettamente all'eventualità che prima o poi potessi esserci invitato anche io, in casa » (p. 144).

Questo silenzio di « Micòl [che] è buona e sa *sempre* quello che fa » (p. 142), segna, parallelamente all'inasprirsi dell'autunno, il suo proprio disincarnarsi, la sua graduale assenza. La sua figura, che aveva chiuso perentoriamente ogni precedente sezione (alla fine della prima è cavalcioni, nel sole, sul muro del giardino, e la seconda parte si chiude con una sua affermazione), non illumina di sé questa parte terza, dove la si riduce dapprima a una voce al telefono, poi a una presenza onirica e alle parole di una lettera. Il narratore, infatti, sogna Micòl, bellezza solare che gioca a tennis « proprio come il primissimo giorno che avevo messo piede nel giardino » (p. 145); ma, poi, eccola con lui nell'ombra del garage, seduti insieme nella carrozza, oggetto morente che si rifiuta di morire. Perotti è in serpa, « immobile, muto, incombente » (p. 146), e a rafforzare questa immagine di morte,

« (ogni tanto, scorgevo la piccola testa da rettile della donna, lustra di capelli lisci, corvini, sporgere cauta oltre il margine del battente: e un occhio di lei dello stesso colore, scorgevo anche, dall'espressione scontenta e preoccupata), sua moglie stava là » (p. 146).

E poi, nella stanza di Micòl, dove i làttimi sono « appunto come io avevo supposto, formaggi, piccole, stil-

lanti forme di cacio biancastro, a foggia di bottiglia »
(p. 147), anche lí, parallelo alla coppia subumana dei
Perotti, l'inquietante, silenzioso, gigantesco Jor, « enor-
me idolo granitico » (p. 146) dai gelidi occhi bicolori;
« Jor, che era l'unico a sapere, l'unico testimone della
cosa che c'era *anche* tra noi » (p. 147).

Il giorno successivo al sogno, rientrato da Bologna, il
narratore s'affretta a telefonare a casa Finzi-Contini. Risponde Alberto, che contrariamente al solito gli chiede
notizie degli studi universitari. Solo dopo un po', come
ricordandosene all'improvviso: « Ma tu... tu cercavi Micòl, non è vero? » (p. 152). Ebbene, Micòl è partita per
Venezia dove, soggiornando come d'abitudine presso gli
zii Herrera, avrebbe dovuto « tirare il collo » (p. 152)
entro febbraio alla sua tesi sulla Dickinson. Intanto —
quasi a offrire un compenso all'amico — perché non ve-
nire qualche pomeriggio a trovarlo, come il Giampi
Malnate?

> « Fu da quell'epoca, dunque, che cominciai a es-
> sere ricevuto si può dire quotidianamente nell'ap-
> partamentino particolare di Alberto [...]. Oh, l'in-
> verno '38-'39! Ricordo quei lunghi mesi immobili,
> come sospesi al di sopra del tempo e della dispe-
> razione (a febbraio nevicò, Micòl tardava a rien-
> trare da Venezia), e ancora adesso, per me, a piú
> di vent'anni di distanza, le quattro pareti dello
> studio di Alberto Finzi-Contini tornano ad essere il
> vizio, la droga tanto necessaria quanto inconsa-
> pevole di ogni giorno d'allora... » (p. 155).

In questo piccolo mondo chiuso su se stesso, in compagnia di Alberto, che prova emozioni solo per la per-
fezione meccanica di oggetti inanimati (« piú passivo di
un *punching ball* », p. 143, lo aveva definito Micòl),
riservando agli amici una « strana espressione di simpatia distaccata, oggettiva, che in lui, lo sapevo, era il
segno del massimo interesse per gli altri del quale fosse
capace » (p. 162), in compagnia di Malnate, trascorro-

no i mesi invernali in quella casa « così intima, così riparata, starei per dire così sepolta: così adatta al me stesso d'allora, soprattutto, adesso lo capisco!, a proteggere quella specie di pigra brace che è tante volte il cuore dei giovani » (p. 187). A questo proposito, ricorderà Bassani: « La tabe (del fascismo) corrode tutti, e questo spiega che la reazione di tante vittime sia debole, fiacca: il protagonista è fiacco, Malnate è fiacco, i Finzi-Contini sono fiacchi: si sta attraversando questa galassia, e tutti quanti non possono non essere toccati da essa, anche per delle ragioni sociali, perché tutti sono borghesi, sono proprietari, sono radicati lí, e poi sono giovani, debbono vivere, debbono godere, sono assorbiti da interessi esistenziali ».[9]

E in effetti un'indiscutibile impressione di fiacchezza, di impotenza dovuta certo piú che a scelta morale a una situazione prodottasi per un complesso di eventi esterni, si sprigiona dalle pagine che rievocano i pomeriggi a tre nella stanza di Alberto. Le lunghe discussioni tra il narratore e Malnate, tutte rese con sintassi ondeggiante tra stile diretto e indiretto, discussioni tra due individui diversissimi ed estranei, in fondo, l'uno all'altro, rendono il clima di opprimente accidia di quei mesi. Una lunga lettera di Micòl che si chiude con la traduzione di una poesia della Dickinson, la poetessa americana che per quasi tutta la vita visse, volontaria reclusa, nella casa di Amherst, è l'unico avvenimento che spezza la monotonia di quei mesi, insieme con l'invito che il professor Ermanno rivolge al giovane — espulso, come ebreo, anche dalla Biblioteca Comunale — affinché frequenti liberamente la biblioteca di casa, ricca di piú di ventimila volumi, sí da poter concludere la tesi di laurea.

« Ma era questo, che avevo cercato? O non avevo cercato, piuttosto, di conservare il piú a lungo pos-

9 F. CAMON, op. cit., pp. 93, 94.

sibile il diritto di presentarmi a casa Finzi-Contini *anche* di mattina? Certo è che a metà marzo circa (frattanto era sopraggiunta la notizia della laurea di Micòl: centodieci su centodieci), io continuavo ancora, torpidamente, a restare attaccato a quel mio povero privilegio d'uso anche mattutino della casa dalla quale lei insisteva a tenersi lontana [...]. Sepolto sotto una coltre di neve d'una quarantina di centimetri di spessore, tutto bianco, il Barchetto del Duca mi appariva trasformato in un paesaggio da saga nordica. A volte mi sorprendevo a sperare appunto questo: che neve e gelo non si sciogliessero piú, che durassero eterni » (pp. 190, 191).

Ma i giorni non durano eterni, e se da un lato portano a una sorta di complice convivenza tra il giovane laureando e il professor Ermanno

(« [...] ci vedevamo assai piú di frequente che non prima [...]. Attraverso la porta, quando era aperta, ci scambiavamo perfino qualche frase [...]. Qualche anno piú tardi, durante la primavera del '43, in carcere, le frasi che avrei scambiato con un ignoto vicino di cella [...] sarebbero state di questo tipo: dette cosí, soprattutto per il bisogno di sentire la propria voce, di sentirsi vivi ») (p. 198),

dall'altro portano la festa pasquale, in un'atmosfera cupa di minaccia. Sono pagine — certo vive e urgenti e dolorose alla memoria dello scrittore, avvenimenti fondamentali nella sua biografia spirituale, tanto da campire con i « colori invernali, spettrali del tono » anche diverse poesie giovanili — sono pagine, dicevo, in cui Bassani pare venir meno al suo distacco espressivo, alla sua antica, ironica, ebraica indulgenza. Qui del resto, nell'episodio della doppia cena di *Pésah*, troppi elementi vengono a convergere, per chiarirsi e preparare l'ultima parte del romanzo (quella dove, con tecnica da teatro classico, si restringono al massimo tempo, luogo e azione ai fini della tensione drammatica),[10] perché il tono non abbia a farsi essenziale, definitorio, allucinato.

La triste cena pasquale nella casa paterna, consumata nel tinello poiché il salotto è « piú freddo d'una Siberia » (p. 201), è squallida e cupa — i convitati presi dalla pesante situazione politica —, simile, piú che a una cena pasquale, al digiuno penitenziale del *kippùr*. Il narratore contempla disperato questa scena spettrale di zii e cugini che « di lí a qualche anno, sarebbero stati inghiottiti dai forni crematori tedeschi » (p. 202), di questi esseri che tra breve, in una fantasia agghiacciante, egli vedrà dispersi da un gelido « vento d'uragano » (p. 203); lo assale un'angoscia senza nome:

« Io ero restato qui, e per me, che ero restato [...] per me in realtà non c'era speranza, non c'era *nessuna* speranza » (p. 204).

È in questo momento di disperazione che giunge, inattesa, una telefonata di Alberto che invita l'amico a recarsi alla *magna domus* per una sorpresa.

Al giovane, fiducioso di reincontrare Micòl, in quella che ora è divenuta « una splendida notte di luna, gelida, limpidissima » (p. 205), pare d'essere « ricco d'una strana leggerezza, come trasportato da ali invisibili » (p. 210) per strade « d'un biancore quasi salino » (p. 205), « in un chiarore ancora piú intenso di neve e di luna » (p. 206), sino all'atrio dove Micòl l'attende, dove egli la bacia. Raggiungono il resto della famiglia, riunito intorno alla tavola; una sottile dimensione onirica pervade la pagina.

« I volti di tutti i commensali erano rosei, accesi; tutti gli sguardi, appuntandosi su di noi, esprimeva-

---

[10] « Anche da un punto di vista letterario ho imparato molto da don Benedetto (dal saggio su Corneille segnatamente), cercando di fare delle "storie" ferraresi una specie di saggio critico del tipo del saggio crociano su Corneille », intervista con C. Toscani, in « Il Ragguaglio Librario », giugno 1973.

no simpatia e benevolenza. Ma anche la stanza, cosí come mi si mostrò d'un tratto quella sera, mi
parve piú accogliente e calda del solito, in qualche
modo rosea anche essa nel legno biondo e levigato
dei suoi mobili, dai quali la fiamma alta e lingueg-
giante del camino suscitava teneri riflessi color carne. Non l'avevo mai vista cosí illuminata, la sala
da pranzo. A parte il bagliore che si sprigionava
dalla bocca del camino, sulla tavola, ricoperta tuttora da una ricca tovaglia di lino bianchissimo [...]
la grossa corolla capovolta del lume centrale ro-
vesciava una vera e propria cateratta di luce »
(pp. 210-211).

Qui, in casa Finzi-Contini, il clima è ben diverso:
per questa famiglia, come per gli ebrei dell'Antico Te-
stamento, la morte è un momento complementare alla
lunga catena della vita e non un buio nulla da ignorare.
Dalla morte del figlio Guido, nel '14, la signora Olga
veste a lutto. Lei e il professor Ermanno si sono spo-
sati nell'antica pace del cimitero ebraico di Venezia,
dove lui, per due anni, studiò e trascrisse le iscrizioni
tombali. La morte, destino ineluttabile, non è per i
Finzi-Contini una presenza spaventosa e temibile, bensí
un aspetto naturale e irrinunciabile della vita. Né possono sorprenderli le discriminazioni razziali, dato il pro-
fondo legame che li lega alla forza della tradizione
ebraica, da sempre esposta alla libertà dell'arbitrio (perché anche protezione e tolleranza, al caso, si sapevano
essere arbitrarie, frutto di grazia contingente e non di
diritto).
    La loro serenità spirituale viene del resto sottolinea-
ta dal narratore, che elenca minuziosamente ogni elemento di contrasto tra le due cene. E in un'atmosfera
sovrasensibile — favorita anche dalla significativa presenza del calice di Micòl — il capitolo si chiude sulle
parole enigmatiche:

    « [...] alzarsi da tavola forse era inutile, non era

necessario. Quella notte, tanto, non sarebbe finita
mai » (p. 216).

Che la frequentazione di Micòl, cosí affine a lui per
molti aspetti, non si sia ancora risolta in un vero e
proprio rapporto affettivo, appare incomprensibile al
giovane protagonista, al quale la personalità dell'amica
in fondo sfugge.

« Subito, l'indomani stesso, cominciai a rendermi
conto che mi sarebbe stato molto difficile ristabi-
lire con Micòl gli antichi rapporti » (p. 219).

Tuttavia, i troppo fiduciosi tentativi di accenderne
di nuovi, trovano in Micòl un'ostentata *fin de non ré-
cevoir*: ripresa la frequentazione della casa — al mattino in biblioteca, per copiare la tesi; al pomeriggio con
Malnate, nella stanza di Alberto —, il narratore ottiene
finalmente l'invito di Micòl, a letto influenzata, a recarsi a trovarla in camera sua. Vi è condotto dal Perotti,
in un vecchio ascensore dai « lucidi legni color vino
[...] dall'odore pungente, un po' soffocante, tra di muf-
fa e d'acqua ragia » (p. 227), veicolo che rimanda il
lettore all'episodio del garage e del *brum*. Ecco, finalmente la soglia è varcata: il narratore è entrato nella
stanza di Micòl che, a letto, sta leggendo. Ella cerca
di condurre la conversazione su di un tono ironico e
auto-ironico, coinvolgendo infine l'amico in una discus-
sione su Bartleby (nel quale lei vede, ed esalta, « l'ina-
lienabile diritto di ogni essere umano alla non-collabo-
razione », p. 234), ma un suo gesto, frainteso, spinge
il narratore ad una mossa maldestra:

« [...] l'abbracciai, la baciai sul collo, sugli occhi,
sulle labbra. E lei mi lasciava fare, però sempre
fissandomi, e, con piccoli spostamenti del capo,
cercando sempre di impedirmi che la baciassi sulla bocca [...]. E mentre il mio corpo, quasi per
proprio conto, si agitava convulso sopra quello di

lei, immobile sotto le coperte come una statua, di colpo, in uno schianto subitaneo e terribile di tutto me stesso, ebbi il senso preciso che stavo perdendola, che l'avevo perduta » (pp. 235-236).

Il *no* di Micòl non potrebbe essere né più paziente né più deciso.

« Domandai perché le sembrasse tanto impossibile. Per infinite ragioni — rispose —, ma soprattutto perché il pensiero di far l'amore con me la sconcertava, l'imbarazzava: tale e quale come se avesse immaginato di farlo con un fratello, toh, con Alberto [...] Io... io le stavo *"di fianco"*, capivo?, non già *"di fronte"*: mentre l'amore — cosí, almeno, se lo figurava lei — era roba per gente decisa a sopraffarsi a vicenda: uno sport crudele, feroce, ben più crudele e feroce del tennis!, da praticarsi senza esclusione di colpi, e senza mai scomodare, per mitigarlo, bontà d'animo e onestà di propositi [...]. E noi? Stupidamente onesti, entrambi; uguali in tutto e per tutto come due gocce d'acqua [...] e nel senso che anch'io, come lei, non disponevo di quel gusto istintivo delle cose che caratterizza la gente *"normale"* [...] per me, non meno che per lei, più del presente contava il passato, più del possesso il ricordarsene [...]. La mia ansia che il presente diventasse *"subito"* passato, perché potessi amarlo e vagheggiarlo a mio agio, era anche sua, tale e quale. Era il *"nostro"* vizio, questo: d'andare avanti con la testa sempre voltata all'indietro. Non era cosí? » (pp. 242, 244).

A questa, che sembra una definitiva risposta, il narratore crede di poter opporre il momento del viaggio[11] — la visita al fratello a Grenoble — inteso come mo-

[11] Vedendolo anche, forse, come momento di maturazione ed emancipazione. Del resto, mentre di tutti i Finzi-Contini conosciamo già dal prologo la sorte finale, quella del narratore ci è ignota, ed egli solo vive — ora e allora — nel vasto flusso del tempo.

mento di conoscenza e maturazione, progresso compendiato nella cartolina con la citazione stendhaliana. Quanto quest'ultima sia poi una « illuminazione » fittizia e contingente, lo rivela il comportamento che il giovane tiene non appena ritorna a Ferrara, atteggiamento cosí insistito, inquisitorio e goffo da costringere Micòl a chiedergli di diradare le visite, essendo francamente intollerabile un simile comportamento da parte sua in presenza d'Alberto e Malnate. « Cacciato dal Paradiso » (p. 265), egli manterrà con la ragazza contatti indiretti, coltivando la compagnia di Malnate; con lui vagherà la notte per una Ferrara ormai doppiamente estranea, non parlando più di politica ma di letteratura e di poesia, facendo le ore piccole

> « [...] passavamo le nostre serate, con l'aria sempre di congratularci a vicenda che ora, a differenza di quando Alberto era presente, riuscissimo a conversare senza accapigliarci, e perciò non prendendo mai in considerazione l'eventualità che anche lui, Alberto, convocato con una semplice telefonata, potesse uscire di casa per unirsi a noi » (pp. 278-279).

Ormai, è chiaro, l'azione del romanzo si concluderà con la fine del rapporto sentimentale. Una notte, rientrato come ormai d'abitudine molto tardi, il narratore si affaccia alla camera del padre, ancora sveglio:

> « Piú che sdraiato, stava seduto, in camicia da notte [...]. Mi colpí come tutto, di lui e attorno a lui, fosse bianco: argentei i capelli, pallido e smunto il viso, candidi la camicia da notte, il guanciale dietro le reni, il lenzuolo, il libro posato aperto sul ventre; e come quella bianchezza (una bianchezza da clinica, pensavo) si accordasse alla serenità sorprendente, straordinaria, all'inedita espressione di bontà piena di saggezza che gli illuminava gli occhi chiari » (p. 300).

Per la prima volta, dopo molti anni, padre e figlio
si parlano apertamente; dopo una breve digressione sugli ultimi sviluppi politici (« si era persuaso che la situazione internazionale stesse rapidamente peggioran-
do », p. 303), il padre affronta chiaramente l'argomento
che gli sta a cuore: il rapporto del figlio con Micòl
Finzi-Contini. Tutto, la situazione politica, la diversa
estrazione sociale, la scelta di studi del figlio (« tu,
invece di medicina, hai preferito prendere Belle lettere », p. 305), tutto era in ogni caso contrario a un simile legame:

« "Ti passerà", continuava, "ti passerà [...] Certo,
mi dispiace [...]. Però un pochino anche t'invidio,
sai? Nella vita, se uno vuol capire, capire sul se-
rio come stanno le cose di questo mondo, *deve*
morire almeno una volta. E allora, dato che la legge è questa, meglio morire da giovani, quando uno
ha ancora tanto tempo davanti a sé per tirarsi su
e risuscitare... Capire da vecchi è brutto, molto piú
brutto [...]. Tra qualche mese, vedrai, non ti sem-
brerà neanche vero di esser passato in mezzo a tutto questo. Sarai, magari, perfino contento. Ti sentirai piú ricco, non so... piú maturo... [...]. E adesso
va' a dormire", soggiunse, "che ne hai bisogno.
Anche io cercherò di chiudere un momentino gli
occhi". Mi levai, mi chinai su di lui per baciarlo;
ma il bacio che ci scambiammo si trasformò in un
abbraccio lungo, silenzioso, tenerissimo » (pp. 307,
308).

« Fu cosí che rinunciai a Micòl » (p. 309). Il capitolo finale, che segna per il protagonista il definitivo
superamento di una situazione che non può presentare
altri sviluppi, descrive in fretta l'ultimo incontro con
Malnate — osservato a sua insaputa dal narratore al
tavolo dell'osteria — e il solitario vagabondare per la
città, sino a trovarsi, senza sapere come, nei pressi del

Barchetto del Duca. Nella notte di plenilunio coppie di amanti giacciono nell'erba, senza nemmeno notare il solitario che passa.

« Mi sentivo, ed ero, una specie di strano fantasma trascorrente: pieno di vita e di morte insieme; di passione, e di distaccata pietà » (p. 313).

Ed ecco il muro da dove, dieci anni prima, Micòl gli aveva parlato incitandolo a scavalcarlo.

« Da ragazzo, in un lontanissimo pomeriggio di giugno, non avevo osato farlo, avevo avuto paura. Ma adesso? Di che cosa potevo aver mai paura, adesso? » (p. 314).

E compie l'atto che allora non aveva saputo compiere.

Il trionfo solare del meriggio estivo si è tramutato nella fredda, bianca luce lunare. In un crescendo quasi surreale tutto sottolinea il contrasto tra l'*ora* e l'*allora*, tra la presenza e l'assenza di Micòl: la scala, come dieci anni prima, è appoggiata al muro; nel pallido chiarore del plenilunio il giovane ha la certezza che anche dalle finestre di Micòl, come dal resto della casa, non trapeli alcuna luce; e, giunto egli all'altezza della *Hütte*, ecco farsi a lui incontro il grande danese dagli occhi disuguali, l'imponente animale la cui silenziosa presenza è, anch'essa, attributo di Micòl. Jor, quasi una guida di un altro mondo, si allontana verso la *Hütte*. Nella mercuriale luce lunare, seguendolo a distanza, il narratore immagina convegni segreti, in giardino, forse anche in quel preciso momento, tra Micòl e Malnate. Ma ecco, improvvisamente, la voce fragile della notte s'arricchisce d'un altro suono, « flebile, accorato, quasi umano » (p. 318): è la « vecchia, cara voce dell'orologio di piazza che lo ammonisce » (p. 318)

« infine era tempo che mettessi l'animo in pace. Veramente. Per sempre [...]. E, date le spalle alla

Hütte, mi allontanai fra le piante, dalla parte opposta » (p. 318).

Qui ha termine la vicenda tra il narratore e Micòl Finzi-Contini. Qui ha termine anche il romanzo, « se è vero che tutto quello che potrei aggiungervi non riguarderebbe piú lei, ma, nel caso, soltanto me stesso » (p. 321). L'epilogo riprenderà quanto già anticipato dal prologo: la morte di Alberto, unico tra i Finzi-Contini ad esser sepolto nella « brutta » tomba di famiglia, ma unico, anche, a non partecipare al loro sacrificio finale. Malnate morto in Russia. Gli altri, scomparsi, inghiottiti dal « vento d'uragano ».

E come avrebbe potuto Micòl, presaga quasi della prossima fine, concedersi a quel futuro che « abborriva, ad esso preferendo di gran lunga *"le vierge, le vivace et le bel aujourd'hui"*, e il passato, ancora di piú, il caro, il dolce, il *"pio"* passato »? (p. 323). « Appare chiaro ora, perché le vicende che seguirono il 1939 non riguardano piú il racconto. Quando sta per irrompere la devastazione, la narrazione si arresta: allo scrittore interessa il momento della restaurazione pietosa, non già quello della distruzione che avrebbe comportato un mutamento dell'oggetto, mentre al tema della favolosa giovinezza si sarebbe sostituito quello dell'impotenza davanti al massacro, che nel romanzo qual è figura solo adombrato o sottinteso. Il giardino non avrebbe avuto piú una posizione centrale e privilegiata, né si sarebbe mantenuta la suggestione di eternità, avvertita come illusoria, dei cimiteri etruschi. Non è un caso che la morte, laddove appare concretamente, è assunta nell'ordine di un rito familiare, è la morte naturale di Alberto, che farà in tempo a raggiungere la tomba di famiglia. La morte degli altri protagonisti non può appartenere a questo tipo di narrazione, perché i forni sono la contestazione della faccia nascosta della realtà, lo smascheramento integrale della realtà e la rovina di ogni forma: Bassani vuole invece soltanto ricomporre una tomba, restituire un frammento di passato. Le immagini sono immobilizzate e pietosamente ritrovate nel momento che stanno per scomparire: il fascino che il romanzo esercita sul lettore ne è una spia, rivolgendosi esso non alla coscienza e alla responsabilità di chi legge, ma al suo sentimento [...] cosí Bassani sembra [...] provvedere di un loculo i defunti, allestire o completare un museo di immagini: ma — si badi bene — piú che per effigiare una specie di illusoria e ironica eternità, per fornire una sorta di riparazione, per offrire un obolo alle vittime. »[12]

COMMENTO CRITICO

Già nei giudizi piú « a caldo » la critica aveva sottolineato come questo « romanzo della segregazione e della morte, del quale la tomba di famiglia rimasta vuota dà sin dall'inizio la chiave, riprende, con quale ampiezza, tutti i temi che Bassani aveva sin qui trattati ».[13] Cosí A. Palermo[14] osserva che se nei confronti delle opere precedenti mutamento vi è stato, è rappresentato « dalla maggior ricchezza, dal piú largo ambito umano, dalla varietà dei ritmi di vita » che nutrono la piú recente prova, quasi che la lunga incubazione del romanzo — sottolineata da Bassani stesso[15] — abbia permesso un'opera che, per un'equilibrata e obiettiva valutazione, « ha bisogno di sottrarsi al clamore immediato, di favore o di sfavore, che la circonda » (Fortini).

A distanza di anni, infatti, la critica tenderà a vedere nel romanzo un momento riepilogativo: già Fusco no-

[12] G. GUGLIELMI, in « Mondo operaio », giugno 1962.
[13] M. FUSCO, art. cit.
[14] In « La Giustizia », 10 luglio 1962.
[15] Della lontana genesi testimoniano del resto i due abbozzi — del '42 e del '53 — pubblicati nella Antologia del Campiello 1969 (Venezia, s.a.). E già in Mia cugina, comparso sul « Costume politico e letterario » del 29 settembre 1945, è rinvenibile il primitivo nucleo del quinto capitolo della parte seconda del romanzo.

tava come in quest'opera e nelle *Storie ferraresi* vi sia
« un clima comune, che corrisponde a un contesto,
identificabile in una cittadina di provincia vista in un
dato momento storico ». Dall'alto della successiva produzione dello scrittore ferrarese (*Dietro la porta, L'airone*), Claudio Marabini, osservando come le opere
precedenti si muovano in « un quadro di cui possono
considerarsi parti interdipendenti », aggiunge: « Col
Giardino dei Finzi-Contini questo quadro riceve l'ultimo suggello: il tocco conclusivo e piú ampio, che rias-
sume i motivi precedenti e li conclude nel segno di un
silenzio finale ».[16] Quest'impressione può essere suffra-
gata, ad una prima lettura, anche dal fitto intreccio
di rimandi e corrispondenze con personaggi motivi e
momenti delle *Storie ferraresi*: compaiono qui, di persona o ricordati da altri, il dottor Elia Corcos (e solo
chi abbia letto *La passeggiata prima di cena* può com-
prendere appieno quel rapido accenno alla morte di
Ruben) e Sciagura, Clelia Trotti e Nino Bottecchiari,
Bruno Lattes e Athos Fadigati. Cosí, del resto, in una
pagina degli *Occhiali d'oro*, il protagonista (presumi-
bilmente, per molti indizi, lo stesso io narrante del
Giardino) fantasticava dei Finzi-Contini e del « loro
meraviglioso campo da tennis privato! ».

Non che in ciò vi sia da vedere una volontà balza-
chiana; vi è, sí, uno sfondo comune alle vicende nar-
rate da Bassani, ma, come ebbe a dire egli stesso: « Credo di essere storicista quanto basta per sapere che il fascismo è un fatto preciso, storicamente situato e in-
casellato. Anzi, non c'è niente cui io sia piú allergico
che ai generi onnicomprensivi, la poesia, il fascismo, la
borghesia. Il fascismo, in quegli anni, è effettivamente
il grimaldello per penetrare e capire una certa società,
in un certo ambiente, in un certo momento. Il fascismo
mi è servito per capire me stesso, il luogo dal quale

---

[16] C. MARABINI, *Gli Anni Sessanta: narrativa e storia*, Milano, Rizzoli, 1969, p. 291.

sono nato: non ne allargo il significato a valori piú
generici [...]. Non mi sono messo a scrivere dei romanzi
per fare dei saggi sociologici. Il fascismo mi è servito
per una ricerca e una spiegazione dei fatti della mia
giovinezza, della mia esperienza morale: quindi, mi riferisco sempre e solo a un fascismo ben preciso, al fascismo nella sua realtà storica, padana e ferrarese. Non
c'è niente che mi irriti di piú degli attributi di univer-
sale, di cosmopolita, di internazionale applicati ai con-
tenuti dell'arte ».[17]

È una dichiarazione piuttosto importante, poiché tocca uno dei punti piú controversi della poetica dello
scrittore.

Già nel '53 Niccolò Gallo notò come Bassani affron-
tasse i problemi morali e tentasse d'attingere a una visione storica partendo da una situazione familiare o
provinciale. E se Marabini ebbe a osservare che i personaggi bassaniani « sono esistenze concepite in un lungo periodo, spaziate in intervalli dentro cui penetra la
magia del Tempo. In esse l'elegia è quasi sempre vocazione al passato e all'immobilità, estrema reminiscenza
idillica, commisurata sullo scorrere fatale degli anni e
sul mutare irreparabile delle cose »,[18] Gaetano Trombatore sottolineò nello scrittore ferrarese una valutazione del
fascismo come fatto storico eterno, notando come nelle
sue pagine quelle vicende smarriscano il loro sviluppo
concreto inserendosi, invece, come un anonimo anello « in
una catena eterna di sevizie e di persecuzioni la cui
storia si perde nel passato e nella memoria degli uomini ».[19] Cosí del resto ancora Bertacchini, nel saggio già
ricordato, sottolineava in Bassani una « persuasa rasse-
gnazione ai corsi e ricorsi della biblica apocalissi ».[20]

Affiora qui la contraddizione fondamentale indicata
dalla critica: da un lato vi è l'idillio-elegia, il rifugiarsi

[17] F. CAMON, op. cit., p. 91.
[18] C. MARABINI, op. cit., p. 282.
[19] G. TROMBATORE, Scrittori del nostro tempo, Palermo, Manfredi,
1959.
[20] R. BERTACCHINI, op. cit., p. 309.

in un passato ricreato dalla memoria come eterno presente, dall'altro vi è l'urgere della Storia che per lo scrittore, secondo Manacorda, è « un misterioso recinto che
l'uomo può rifiutare di ritenere accettabile, ma da cui
non può uscire », e dove quindi « Storia e coscienza individuale si pongono come termini irrelati, mondi non
comunicanti », sí che coesistono, nelle pagine di Bassani,
come inestricabile groviglio « della permanenza nel dram-
ma e della fuga nell'idillio ».[21] Cosí, un anno prima della
pubblicazione del *Giardino*, Cusatelli notava con sottile
comprensione come la « condizione ebraica » favorisse
nello scrittore un'essenzialità di temi che « suona evidente riprova della natura etica degli interessi che promuo-
vono il lavoro » di un autore, laico, sí, ma attento a
scoprire « la sovrapposizione d'un ordine etico e religioso alla mera rappresentazione mimetica della realtà ».[22]

In questa « progressiva conquista d'un nuovo realismo », il *Giardino* segna, lo abbiamo visto, un momento
riepilogativo dove piú acuta si fa la contraddizione che
vede la coscienza storica dello scrittore — crociano, come egli stesso ricorda — arrestarsi dinanzi all'« ineffabile », all'« enigma dei personaggi » (si pensi alle ultime pagine del romanzo). E tuttavia, avverte Manacorda,
proprio nel ricordare questi personaggi, soggetti, come
del resto l'autore, a un personale « mito della storia e
del suo rifiuto », Bassani sa « toccare con l'evocazione
poetica quegli accenti inteneriti e struggenti che fanno
del *Giardino dei Finzi-Contini* una delle piú nobili ele-
gie sulla condizione umana dei nostri anni ».[23] Tale rico-
noscimento dell'intensità raggiunta dallo scrittore in questa prova è comune a quasi tutti i suoi critici, e se, come
nota giustamente Volpini, « Anche quando la materia è
radicalmente derivata dal proprio mondo affettivo, dalla
memoria privata, Bassani riduce al minimo la compro-

---

[21] G. Manacorda, *Storia della letteratura italiana contemporanea,
1940-1965*, Roma, Editori Riuniti, 1967, pp. 306-309.
[22] G. Cusatelli, *Caratteri dell'opera narrativa di Bassani*, in « Palatina », ottobre-dicembre 1961, pp. 9-19.
[23] G. Manacorda, *op. cit.*, p. 309.

missione formale pur sollecitando intense reazioni senti-
mentali »,[24] Michele Rago,[25] trova proprio nell'elegia di
un « dialogo sospeso sugli abissi », minacciato dalla storia ostile, la forza e la bellezza del romanzo.

Ma, appunto, si diceva: ripresa e decantazione dei temi precedenti in un romanzo che, forse, conclude una
fase della produzione dello scrittore. Quali sono dunque
questi temi, cosí peculiari a Bassani? Sono motivi che lo
scrittore ha avvertito e vissuto in prima persona, e questa, crediamo, è tra le non ultime cause del rispetto che,
anche da parte di critici riduttivi, circonda l'opera dello scrittore ferrarese; vi è in lui una profonda fedeltà alle proprie ragioni, che non si traduce in una stanca ripetizione di temi ma nel tentativo, attraverso un caparbio
recupero memoriale, di risolvere dialetticamente il passato per poter capire, e capirsi. Ma veramente, come vo-
gliono alcuni critici, il *Giardino* è « il racconto di una
passione snobistica, che adombra l'angoscia tutta bassaniana, nata con la sua ferita, a uscire dalla propria
pelle per partecipare alla vita altrui (*e dove*) in rilievo
resta la storia d'amore, l'elegia funebre che sembra voler scagionare tutti, indistintamente tutti, a cominciare
dai sopravvissuti, dalla colpa del nazismo del genocidio »
(Enzo Siciliano), o anche qui, nel *Giardino*, attraverso la voce di un personaggio centrale che è già un enigma per se stesso,[26] l'autore tenta ancora una volta di decifrare l'enigma dell'uomo, sia nelle singole componenti
familiari e sociali (e si veda la finezza di trattare il rapporto di classe all'interno di una « comunità », quella
ebraica) sia nell'assoluto individuale? Il romanzo, a ben
vedere, è doppiamente dominato da un senso di solitu-

[24] V. VOLPINI, *Prosa e narrativa dei contemporanei. Dalla « Voce »
all'avanguardia*, Roma, Studium, 1967, pp. 193-196.
[25] In « l'Unità », 14 marzo 1962.
[26] E: « Ogni personaggio degno di questo nome, non può non
essere una forma del sentimento dello scrittore », dirà Bassani ne *Le
parole preparate*, cit., p. 199; e ancora: « Se c'è uno scrittore del
quale si debba dire che ogni racconto, ogni personaggio, ogni opera,
rappresenta una specie di forma del sentimento dell'autore, questo sono
io »: intervista citata con C. Toscani.

dine ed esclusione. Da un lato, richiamato alla coscienza da leggi inique, vi è il sentimento di separazione tra *judím* e *goím*, sentimento che sconfina in una sorta di misero orgoglio del vinto. È il *climax* dominante nella comunità ebraica, la comunità dei padri, « del gregge/ dei morti a capo chino », come dice Bassani in una sua poesia.

Ora, pur ponendosi, in fondo, in posizione d'accettata dipendenza nei confronti dei *padri*, il narratore si troverà estraneo, su questo terreno, alla sua gente. Estraneo a loro ed estraneo, però, anche ai Malnate d'allora e di sempre, beatamente fidenti in « magnifiche sorti, e progressive » che ormai altro non sono che relitti di passioni inesauste.

L'ottimo studente del Liceo Guarini, l'allievo di Longhi e Calcaterra, si trova dunque doppiamente straniero, alla sua patria e alla sua gente. Su questa solitudine, storica e contingente, s'innesta il sentimento di una piú profonda esclusione. È quella resa palese dalla vicenda che intercorre tra il narratore e Micòl: la profonda solitudine di ogni essere umano, solitudine che nessuna volontà può spezzare. È questo aspetto, questa solitudine esistenziale che domina il romanzo: le ragioni storiche, che pervadevano le *Storie ferraresi* e che negli *Occhiali d'oro* si equilibravano con quelle private, sono qui non certo accessorie ma comunque meno motivate, non piú indispensabile occasione alla scoperta della solitudine umana. Qui veramente, pur acquietandosi nello stile, il pessimismo bassaniano, ponendo le sue premesse come misteriose e immanenti al di fuori della Storia, raggiunge la sua formulazione piú ampia e accorata. È il versante del cuore, posto non a caso a epigrafe del romanzo (non senza una palese deformazione, rispetto al significato manzoniano di *scienza del cuore*): è la confessione di un'anima ferita che fa lievitare una situazione storica a condizione umana. Ed ecco la solitudine del protagonista; ed ecco, dall'angolo visuale di questo *out-cast*, la solitudine di Alberto, di Micòl, di tutti gli altri.

Il giardino dei Finzi-Contini: già il titolo non potrebbe essere piú chiaro: non un consueto, informativo, naturalistico *I Finzi-Contini*; e non è nemmeno da intendersi in un'accezione comune a certa narrativa precedente (penso, ad esempio, alla *Casa di via Valadier*, di Cassola). Il giardino è il luogo alla memoria amico, l'unico spazio concesso all'illusione. È, questo giardino, metaforica « isola del passato », ma è anche il luogo che isola dal presente e che permette di suggellare « quel poco che il cuore ha saputo ricordare ». Ed è poco davvero, secondo alcuni critici che rimproverano allo scrittore certi silenzi sui segreti dei personaggi, col risultato di una « falsa poeticità dell'indefinito e delle ipotesi » (Fortini). Ma Bassani, che da Henry James ha derivato l'attitudine a porre interrogativi psicologici, a far mistero del cuore umano, a sentire i nodi delle emozioni come materia impalpabile che si risolve in apparenza, ma delude, è qui quanto mai fedele alla propria poetica dell'ineffabile,[27] evidenziata in queste pagine da un rispetto e da una discrezione che fecero dire a un critico come « Sul piano umano difficilmente si potrebbe contemplare le cose con maggiore tenerezza e rispetto, con superiore riconoscenza per la vita, con piú realismo, saggezza e misura di quanto non faccia qui Bassani ».[28] Questa rinuncia ad una aggressione violenta e manichea della realtà, ci porta a formulare una prima osservazione sullo stile di Bassani. Già nel '56, recensendo le *Storie ferraresi*, Folco Portinari notava come in quelle pagine vi sia « un sentimento che sovrasta i personaggi di Bassani — dono riservato a pochi maturi scrittori, e più che scrittori, uomini — un sentimento che li sottrae, tutti, a ogni facile soluzione di condanna o d'elogio totale [...] la pietà, una pietà che sta sopra l'ironia, l'affetto, la stizza ». Il critico osservava quindi che « Se oggi in Italia uno

---

[27] Senza voler considerare la scelta dell'uso di un io narrante, necessariamente limitato nella conoscenza rispetto al narratore-demiurgo d'ottocentesca memoria.

[28] A. BASSAN, in « Letture », maggio 1962.

scrittore può tentar la prova del romanzo storico, di stampo manzoniano, proprio questi dovrebbe essere Bassani ».[29]

Questo duplice accostamento al Manzoni è molto significativo. Sin dal prologo del *Giardino* si avverte un tono di alta *pietas* che, nell'intera opera, investe non solo le figure care alla memoria, ma anche quelle osservate con occhio critico (si pensi a Malnate « partito per il fronte russo con il C.S.I.R., nel '41, e non piú ritornato »); e una pietà sottintesa e tacita, che compatisce e sovrasta, tocca anche individui condannati moralmente, quali Barbicinti o Tabet. E, quanto a compassione e comprensione, basti pensare all'ultimo colloquio col padre, siglato da quell'« abbraccio lungo, silenzioso, tenerissimo ».

Riguardo al romanzo storico, che Bassani abbia preso un'altra strada non deve celare alcuni punti di contatto col Manzoni, aspetti puntualmente rilevati dal Varanini.[30] Come Manzoni, e come poi altri autori novecenteschi (penso a Proust e al Mann del *Doctor Faustus*), Bassani vuole che il lettore creda all'evidenza del suo reale. Tutto il « romanzo di Ferrara » — un mondo limitato nello spazio e nel tempo ma approfondito sempre piú pazientemente — ha, sottesa, questa esigenza. E come al Manzoni riuscí di unire realtà storica e invenzione mediante un accorto gioco di citazioni e intarsi, come nella *Recherche* o nell'ultimo Mann troviamo strettamente commisti realtà e finzione poetica, cosí a Bassani accade qualcosa di non troppo dissimile.

Tutti i dati esterni, le coordinate della sua scrittura tendono al veridico, a fondere in un'unica impronta l'elemento storico (sia pure, a volte, di storia individuale) e quello fantastico. Cosí, ad esempio, Ferrara — e Bassani scrive di una Ferrara che non esiste piú — è resa con precisione quasi toponomastica nei nomi delle stra-

[29] F. PORTINARI, *Generazioni della narrativa*, in « Letteratura », settembre-ottobre 1956.
[30] G. VARANINI, *op. cit.*, p. 21 sgg.

de, dei quartieri stessi, delle mura, persino nel ricordo
dei nomi dei paesi vicini:

> « tutta gente di Quacchio, di Ponte della Gradella,
> di Coccomaro, di Coccomarino, di Focomorto, che
> avevano fretta, e piuttosto che passare da Porta
> San Giorgio o da Porta San Giovanni (perché a
> quell'epoca i bastioni erano intatti, da quel lato,
> senza brecce praticabili per una lunghezza di al-
> meno cinque chilometri), preferivano prendere, co-
> me dicevano, "la strada della Mura" » (p. 54).

Ora, Bassani è estremamente sensibile all'evocazione
dei luoghi e le sue indicazioni appaiono sempre molto
precise:

> « All'una, ero andato a pranzo al *Pappagallo*: non
> già a quello cosiddetto "asciutto", ai piedi degli
> Asinelli [...] bensí all'altro, il *Pappagallo* "in bro-
> do", che si trovava in una stradetta laterale di
> via Galliera [...] Nel pomeriggio avevo [...] be-
> vuto un tè da *Zanarini*, quello di piazza Galvani,
> al termine del Pavaglione » (p. 150);
> « certi brutti ceffi raccolti dirimpetto al Caffè della
> Borsa, in corso Roma, o scaglionati lungo la Gio-
> vecca » (p. 151),

ma tale individuazione, favorita dall'attento amore dello
scrittore per i valori artistici della sua città, dà vita a
luoghi di pura fantasia evocati sulla pagina con altret-
tanta convinzione ed efficacia (mi riferisco soprattutto
alla *magna domus*, ma esisterà davvero una via Vigna-
tagliata nel vecchio ghetto ebraico?) da trarre in inganno molti, sí che a Ferrara non era difficile, negli anni della prima fortuna del romanzo, incontrare turisti in cerca del Barchetto del Duca.[31] Ecco alcuni esempi di questa topografia immaginaria che s'appoggia su dati reali:

---

[31] V. A. ANDERSCH, *Passeggiata a Ferrara (sulle tracce dei Finzi-
Contini)*, in *Ferrara*, vol. II, Bologna, 1969, pp. 207-229.

« Quando, quel sabato pomeriggio, sbucai in fondo a corso Ercole I (evitati la Giovecca e il centro, provenivo da piazza della Certosa), notai subito che davanti al portone di casa Finzi-Contini sostava, all'ombra, un piccolo gruppo di tennisti » (p. 82; dove si noti come l'apparentemente incidentale precisazione « all'ombra » aggiunge un ulteriore tocco di realtà memoriale).

Oppure, dalla finestra della sua stanza:

« [Micòl] vedeva le quattro torri del Castello, che i rovesci di pioggia avevano reso nere come tizzoni spenti. E dietro le torri, lividi da far rabbrividire, e anche questi celati ogni tanto dalla nebbia, i lontani marmi della facciata e del campanile del duomo » (p. 136).

E infine, esempio piú complesso per il doppio rimando a un dato reale e a uno poetico presentato come reale:

« ci eravamo fermati a bere del vino in una fiaschetteria di via Gorgadello, di fianco al duomo, a pochi passi di distanza da quello che fino a un anno e mezzo prima era stato l'ambulatorio medico del dottor Fadigati, il noto otorinolaringoiatra » (p. 290).

Questa precisione amorosa e fantastica, che apparentemente richiede e sollecita la complicità del lettore, non si esaurisce nella toponomastica. La volontà di scrivere pagine che siano anche *storia* — e sia pur storia personale, come la giovanile *Storia di Debora*, o breve e intensa storia di drammi pubblici e privati degli ebrei di Ferrara, parallela alla storia di un'ambigua civiltà borghese provinciale — porta Bassani ad un procedimento simile anche per quanto riguarda i personaggi: ricorrono cosí i nomi di Carlo Calcaterra, Roberto Longhi e Igino Benvenuto Supino, insigni professori, in quegli anni, dell'ateneo bolognese. Si citano riviste letterarie e di

moda, poeti in quegli anni ancora poco noti. Alberto tiene in camera un piccolo nudo di De Pisis. E nella cassa-
forte del professor Ermanno è gelosamente custodito un
carteggio inedito tra Carducci e la nonna paterna di Micòl (e ben cinque lettere su quindici, si precisa, tratta-
no di una salama da sugo offerta al poeta). Parallelamente, con pari naturalezza, ecco poi il narratore citare
lo « scaccino Carpanetti », in sinagoga.

Una fitta rete di notazioni minute sostiene questi rimandi. È una densa trama di corrispondenze — fatti, oggetti, codici linguistici — che col tempo, necessariamente, verrà notata sempre meno, riuscirà sempre piú oscu-
ra da decifrare. Le allusioni:

> « una specie di tempio tra l'antico e l'orientale, come
> se ne vedeva nelle scenografie dell'*Aida* e del *Na-*
> *bucco* in voga nei nostri teatri d'opera fino a pochi
> anni fa » (p. 13);
> « due "quindici", messi in difficoltà da una coppia
> di non-classificati » (p. 85);
> « ti aggiri [...] con l'andatura della tigre in gabbia
> del *Notturno* di Machaty? » (p. 133);
> « con quella splendida pelle alla Carole Lombard »
> (p. 140);
> « i miei scoppi d'ilarità, "tipo *Cena delle beffe*" »
> (p. 262),

e si potrebbe continuare. E gli oggetti, circoscritti con
precisione maniacale e ormai, a distanza di anni, non piú
molto denotanti:

> « una Wolsit: col fanalino elettrico, la borsetta per
> i ferri, la pompa » (pp. 56-57);
> « una lunga Dilambda grigia » (p. 124);
> « scarpe inglesi marrone (erano Dawson autentiche
> — mi disse poi —: le trovava a Milano, in un nego-
> zietto vicino a San Babila) » (p. 161);
> « Dispongo anche di parecchio *jazz* [...] Armstrong,

Duke Ellington, Fats Waller, Benny Goodman, Charlie Kunz...» (p. 162);[32]
«un Quartetto di Beethoven suonato dai Busch» (p. 184);
«controllò l'ora al suo grosso Omega da polso» (p. 188);
«Tirò fuori da sotto il guanciale un pacchetto di Lucky Strike, intatto» (p. 246);
«davano un film tedesco con la Cristina Söderbaum» (p. 278),

al punto che, saputo che Alberto «aveva tra i denti la pipa» (p. 161), il lettore è legittimamente portato a chiedersi «Di che marca?», e la risposta giunge puntuale venti pagine dopo:

«mi ricordava le varie qualità di trinciato che, secondo lui, erano indispensabili perché fosse ottenuto dalle nostre rispettive Dunhill e G.B.D. l'ottimo dei rendimenti» (pp. 180-181).

E gli esempi citati non sono che una scelta tra un grandissimo numero; ricorderemo ancora, tra gli altri, «l'odore dei gialli fiori del calicantus», le biografie romanzate delle «Scie», le occhiate alla Elsa Merlini. E si potrebbe citare a lungo. Questa volontà di precisione antiquaria quasi filologica — e che pure ha il pregio di non tradire mai l'eventuale scrupolo di ricerca e di inserirsi, anzi, quasi sempre con estrema discrezione nel dettato — si presta ad alcuni rischi oggettivi. Le immagini evocate dallo scrittore, nota infatti Varanini, «sono suscettibili di diventare i non perspicui segni d'un difficile codice, per chi di quel costume non sia più partecipe». E anche se, in tempi di rapidissime mutazioni e ancor più rapidi oblii come il nostro, è questo un rischio

---

[32] Si noti che, con *Over the rainbow* e *Deep purple*, il nome di Charlie Kunz compare come referente anche in *Una questione privata* di Fenoglio, pubblicata nel '63 e ambientata negli anni della guerra mondiale.

comune a quasi tutta la produzione letteraria, vi è, ancor piú insidiosa, la possibilità di decifrare in modo errato il messaggio che l'oggetto comporta.

Se la tigre del *Notturno* è in funzione chiaramente ironica, perché proprio una Dilambda, nel garage dei Finzi-Contini, e non, ad esempio, una Bugatti o un'Alfa Romeo? Qui, è chiaro, l'oggetto ha già perso quasi del tutto le sue proprietà connotanti e si può solo azzardare che la Dilambda, macchina altrettanto prestigiosa ma assai meno vistosa delle altre due, ben si addice alla riservata signorilità dei Finzi-Contini, in contrasto con i nuovi ricchi di quegli anni. Oscurità e progressiva incomprensibilità degli oggetti presi come *status symbol* rischiano oltretutto di portare il dettato bassaniano alla soglia di una disordinata gratuità. È un pericolo notato dal critico inglese Brian Maloney, che però subito aggiunge: « Se il luogo e il tempo — poiché Bassani s'affanna sempre a ricostruire nella memoria la Ferrara di un particolare momento — non sono la sola ragione di essere delle sue opere, il critico è di conseguenza costretto a domandarsi perché essi siano presenti e a quale scopo servano, specialmente se si considera che il metodo di Bassani presenta alcuni ovvi pericoli ». E a tale domanda risponde: « Tutto questo, infatti, è cruciale per il suo scopo; ha bisogno di ammassare fatti, luoghi, nomi, date, figure, per poter contrastare con questo cumulo di certezze "quel poco che il cuore ha saputo ricordare". Contro questo sfondo di elementi concreti, lo scrittore può sviluppare i suoi temi principali, quelli dell'isolamento e dell'incomprensione del proprio passato cosí vivamente posti in rilievo nell'ultimo paragrafo de *Il giardino dei Finzi-Contini*, in cui il narratore ricorda, uno per uno, il triste destino dei suoi amici ».[33]

A questo proposito, sarà bene notare come la resa estremamente minuziosa della realtà ambientale ben si

[33] B. MALONEY, *Tematica e tecnica nei romanzi di Giorgio Bassani*, in « Convivium », n. 5, 1966, pp. 486-488.

addica al tono quasi diaristico del racconto, dove ogni
personaggio, almeno fin dove lo può la memoria dell'autore, viene investito da una limpida luce che lo trae dal
buio del tempo, sí, ma rivestito sempre dei suoi attributi
sociali; nulla, delle coordinate sociali, viene lasciato in
ombra: e abbiamo cosí l'*avvocato Geremia Tabet* e il
dottor Corcos, e il padre di Micòl sarà sempre il *professor Ermanno* cosí come il nonno del narratore sarà il
nonno Raffaello anche se, già al momento dei fatti nar-
rati, la sua figura vive ormai solo nella privatissima memoria del giovane. Cosí del resto, si era già visto, l'autore precisa, specularmente, che non di uno scaccino si
parla, ma dello « scaccino Carpanetti », e che il grasso,
falsamente gioviale commesso della Biblioteca Comunale di via Scienze (v. p. 181 sgg.) è, tra i tanti, tale Po-
ledrelli.

Come ebbe a notare il Baldelli in un saggio a tutt'oggi fondamentale per penetrare lo stile di Bassani, « Siamo davanti a un elemento che il Bassani ha certo assun-
to, come si diceva, dalla moda neorealistica dominante,
ma che è diventato un mezzo stilistico a legare fortemente il lettore alla sua storia, a chiamarlo ad una intima
partecipazione: l'elemento forse piú accattivante della
prosa di Bassani ».[34] Ma l'estrema minuzia del riferimento realistico non si esaurisce nella precisione topografi-
ca e nel donare dati anagrafici o marchi di fabbrica a
cose o persone, ma si arricchisce dell'uso sapiente di almeno tre diverse forme di lessico particolare, che lo
scrittore innesta sulla struttura linguistica eminentemente letteraria dell'opera: il dialetto ferrarese, i termini
ebraici e il finzi-continico, che in parte comprende un
certo uso di parole straniere.

Il dialetto pertiene alla terra stessa e a chi la lavora:
compare una prima volta, nel brano già citato in pre-
cedenza, quando Micòl indica al narratore le piante da
frutto:

---

[34] I. BALDELLI, *Varianti di prosatori contemporanei*, cit., p. 67.

« Cosí le mele erano *"i pum"*; i fichi, i *"i figh"*; le albicocche, *"il mugnàgh"*; le pesche, *"il pèrsagh"*. Non c'era che il dialetto per parlare di queste cose. Soltanto la parola dialettale le permetteva, nominando alberi e frutta, di piegare le labbra nella smorfia fra intenerita e sprezzante che il cuore suggeriva » (p. 116).

È ancora impiegato da Micòl (l'unica della famiglia, si ricordi, capace di « *sciachtare* con le sue mani il pollame », p. 159), nel colloquio con la « moglie del vecchio Perotti, la Vittorina, una scialba *arzdóra* d'età indefinibile » capace di cucinare — e qui Micòl, con rapido quanto naturale mutamento di lessico, si rivolge all'amico — « delle minestre di fagioli *monstre* » (p. 118). E direi che i « celebri fischi » di Alberto, « talmente potenti, che quelli dei pecorai, al confronto, erano roba da ridere » (p. 112) siano, nel senso detto piú sopra, un corrispettivo del dialetto, usato talvolta, nel romanzo, anche dal Perotti (ma in questo caso con intenzioni puramente realistiche:

« *cossa vorla* che sia buono a mordere », p. 89;
« *El gà* piú di quaranta anni [...] Mah, *sogio mí...* » p. 229).

Il dialetto è parlato infine dal padre del narratore, ma con una sfumatura affettiva inequivocabile, tesa a mascherare l'imbarazzo per la propria posizione di completa impotenza di guida esautorata tesa perciò ad invitare alla confidenza filiale, a mimetizzare, insomma, con la pronuncia aperta la propria emozione. È il dialetto a introdurre, nei discorsi del padre, i timidi tentativi di confronto e dialogo:

« "E poi", seguitò dopo una pausa, *"duv'èla mai ch'a si 'ndà a far dànn, tutt du?"* » (p. 301);
« Ti basta la *sabadina* che pigli dalla mamma? » (p. 302);

« Eh, già, purtroppo: si trattava d'un vero *"afar
negro"* » (p. 303);

e si ricordi anche:

« Ma santo Dio, non era mio padre? [...] Con la
mamma e con Fanny non era il caso che si confi-
dasse: erano donne. Con Ernesto nemmeno: troppo
putín. Con chi doveva parlare, allora? Possibile che
non capissi che era proprio di me che lui aveva bisogno? » (p. 70).

Assai diverso, invece, e in fondo per nulla *dialettale*
l'uso che l'autore fa delle citazioni milanesi di Malnate,
citazioni del resto eminentemente letterarie e tese sem-
mai a definire ulteriormente il personaggio, fiducioso nel
« futuro lombardo e comunista » (come sarebbe potuto
mancare, qui, l'amore per il Porta?). E non a caso l'u-
nica citazione « altra » in milanese è l'ironico « *Milàn l'è
on gran Milàn!* » di Micòl, al momento delle presentazioni (p. 101). Le citazioni da Porta, insomma, sono per
Malnate il corrispettivo culturale delle citazioni baude-
lairiane di Micòl, ma non sono nemmeno troppo lontane
— perché dialettali, quindi limitate a una cerchia ristret-
ta, e sentite connaturate alla propria nascita, alla propria
terra, alla propria cultura — dal ricorrente impiego di
termini ebraici a cui ho già fatto riferimento.

Qui il modello di Bassani è dichiaratamente il « *Pedro,
adelante con juicio* »; e si tratta veramente di un riap-
propriarsi, cristallizzandola, della tradizione aristocrati-
co-regionalistica manzoniana, dove l'elemento sintattico
guida l'attenzione del lettore verso luoghi specifici dall'autore accortamente predisposti:

« sia che, affascinato, ascoltassi a bocca aperta i
fratelli della signora Olga, l'ingegnere delle ferro-
vie e il tisiologo, parlottare fra loro mezzo in veneto e mezzo in ispagnolo (*"Cossa xé che stas meldando? Su, Giulio, alevantate, ajde! E procura de*

far star in píe anca il chico..."), e poi smettere,
d'un tratto, e unirsi a voce altissima, in ebraico,
alle litanie del rabbino: per un verso o per l'altro stavo quasi sempre con la testa voltata » (p. 38);
« "Quante smancerie, quanto *haltùd*!", avrebbe piú
tardi commentato mio padre, a tavola » (p. 40);
« "*Jevarehehà Adonài veishmerèha...*", attaccava solenne il rabbino, curvo, quasi prostrato, sulla *tevà*,
dopo essersi ricoperto la torreggiante berretta bianca col *talèd* » (p. 41);
« pronunciò con voce forte, da sorda, due o tre parole nel gergo di casa. Si lamentava, mi pare, della
"*mucha* umidità" del giardino. Ma accanto a lei
[...] il figlio [...] a voce non meno forte (neutra,
però, la sua: un tono di voce che anche mio padre
sfoderava ogni qualvolta, in ambiente *misto*, preten-
deva di comunicare con qualcuno di famiglia, ed
esclusivamente con lui), fu pronto a farla tacere.
Le disse che stesse "*callàda*", cioè zitta. Non lo
vedeva che c'era il "*musafír*"? Mi chinai all'orec-
chio di Micòl. "Invece che 'sta' *callàda*', noialtri
diciamo 'sta' *sciadòk*'. Ma *musafír*, che cosa significa?" "Ospite", mi sussurrò lei di rimando.
"*Goi*, però" » (p. 103).

Dal gergo di un'intera comunità — quella ebraica —
al gergo privatissimo d'un nucleo familiare, a quel sottolineare, da parte d'Alberto e Micòl, nel brano già citato,
« certi vocaboli di poco rilievo, di cui essi soli sembravano conoscere il vero senso, il vero peso, e invece sorvolando in modo bizzarro su altri, che uno avrebbe detto d'importanza molto maggiore. La consideravano, questa, la loro *vera* lingua: la loro particolare, inimitabile,
tutta privata deformazione dell'italiano. Ad essa davano
perfino un nome: il finzi-continico » (p. 50). È questo
un ulteriore scatto nella capacità bassaniana di minuziosa
mimesi linguistico-storica. Alcuni esempi:

« Forse aspettano, a metter fuori i voti, che abbiano

finito *anche* tutti gli altri privatisti » (p. 50);

« ma lui, dopo un poco, sta' sicuro che mi ritrova. È *terribile* » (p. 52);

« No? Io sí, una infinità di volte. È *magnifico* » (p. 59);

« Meldolesi era veramente *incantato* [...]. Credi che i fuori-corso li lasceranno finire *ugualmente*? » (p. 78);

« Eravamo "i due letterati della combriccola", due tipi "bravissimi". Passò quindi a Malnate, scherzando sulla "rara" passione » (pp. 100-101);

« ed ecco le "tacche" ("tacche, sissignore!") »; « Era evidente — gridava —: io *dovevo* aver fiutato la sua intenzione » (p. 119);

« Peccato che lei non avesse, lí, un coltello per tagliarlo in due "emisferi" » (p. 124);

« Non puoi immaginare come io l'*adori*, questa roba. In proposito, so letteralmente *tutto* » (p. 136).

A questi vezzi personali s'aggiunge, nell'*argot* di Micòl, tutta una serie di stereotipi ironici comuni a un certo ceto sociale:

« Adesso avevano ospiti, "illustri ospiti": per cu: sarebbe tornata alla carica con [...] il "canuto genitore" »; « sarebbero stati in grado di offrirci "qualcosa di degno" » (p. 95);

« "in omaggio" — diceva ridendo — "al defunto impero austro-ungarico" » (p. 97);

« rischiavamo di farci cogliere dall'"olifante" di Alberto » (p. 112);

« e per indurci a non poltrire in molli piume » (p. 135),

nonché l'uso, in pieno regime di autarchia linguistica, di parole straniere: la *Hütte*, lo *chauffeur*, lo *Skiwasser* e l'*Himbeerwasser*, *partner*, *dear friend* e molte altre, sino al calco, piuttosto infelice, di quel « *genati* » (p. 146). È sí, in fondo, la fedele mimesi di una lingua, non tan-

to privata quanto caratteristica di un'intera classe, la mimesi di quell'« italiano un po' astratto e convenzionale
che si parlava e imparava nei nostri licei centrosettentrio-
nali durante gli anni dell'anteguerra » (Antonielli), ma
con in piú una sfumatura tutta personale e di famiglia (si
ripensi anche all'

> « *"Era già l'ora che volge il disío..."*, declamò piano
> una voce ironica, accanto a me. Mi voltai stupito,
> Era il professor Ermanno », p. 104),

sufficiente a sottolineare la differenza di « stile di vita »,
nel confronto con le piú ovvie scansioni del narratore,

> « Se debbo entrare in casa *vostra* » (p. 56);
> « Se mi faccio rubare *anche* la bicicletta » (p. 57),

o con le piú consunte espressioni di Adriana Trentini e
Bruno Lattes

> « una faccia da *"fifa-fa-novanta"* » (p. 86);
> « Una porcheria simile era roba da zulú »; « vecchi
> marpioni della *Bombamano* »; « un verme del ge-
> nere [...], lui ci avrebbe scommesso la testa » (p.
> 87);
> « garantito al limone » (p. 88).

Ma sia il finzi-continico (o, se si preferisce, il gergo
della buona borghesia degli anni trenta) sia il dialetto
e le forme straniere si inseriscono senza brusche frattu-
re nella struttura linguistica dell'intero romanzo. Se infatti la tradizione narrativa italiana, per aulica che sia,
ha sempre sopportato elementi dialettali o comunque ete-
rogenei — vuoi per la mimesi linguistica che si rifà
proprio al procedimento manzoniano di verisimiglianza
lessicale e di rapida inserzione del *parlato*, in grado di
accentuare l'immediatezza comunicativa del contenuto,
vuoi per la tradizione e il peso delle varie letterature
dialettali — il dettato bassaniano presenta accorgimenti

sintattici tali da far realmente, di queste inserzioni, parte integrante di uno stile, stile che, secondo le a volte esplicite dichiarazioni dello scrittore, tende verso una « lingua comune e letteraria » che presuppone l'emarginazione delle angustie dialettali.[35]

Una simile aspirazione incide profondamente sulle strutture linguistiche e stilistiche del romanzo la cui ossatura frastica, come si vedrà, partendo da costruzioni letterarie nel lessico e piuttosto libere, invece, nella sintassi, chiude su un giro di frase sostenuto, sí, da molteplici suggestioni « tonali » ricche di rimandi prettamente letterari, ma tende a una strutturazione sintattica fondamentalmente comune: « da una parte cioè » — come notava il Baldelli — « la caduta di aggettivazione colorita e raffinata, dall'altra la rinuncia alla contrapposizione sintattica scarsamente interpuntoria, che tendeva a dare un rilievo essenzialmente lirico ».[36]

Ma della prosa di Bassani si tenterà ora una piú particolareggiata analisi, rintracciando nelle pagine del Prologo l'uso di stilemi e strutture sintattiche, inquadrando la loro peculiarità in un confronto sul terreno piú ampio dell'intero romanzo.

Sottolineando l'impiego di gergo e dialetto nonché — attraverso l'uso del condizionale composto e del discorso indiretto libero — le infiltrazioni piuttosto pesanti di lingua parlata, si era tuttavia accennato alla letterarietà della pagina bassaniana. Vorrei ora approfondire e precisare meglio questa affermazione.

Notando come nel susseguirsi delle prove narrative di Bassani si avverta una progressiva tendenza a ridurre « l'aggettivazione ed il frasario letterario », Baldelli, nel saggio più volte citato, aggiungeva: « Il tono moderato che Bassani ha ottenuto nel suo cammino, raggiunge per ora la sua piú significativa espressione appunto nel *Giardino dei Finzi-Contini*. Ad apertura di libro, il Prologo

[35] « Certo, col solo dialetto non si può esprimere tutto, oggi »: intervista rilasciata da Bassani a « Nuovi Argomenti », *cit*.
[36] I. BALDELLI, *op. cit*., p. 51.

è di una letterarietà notevolissima ».³⁷ In quali elementi sintattici e lessicali il Baldelli rinviene questo « sapore letterario »? Nella frase, ad esempio, scandita con forte rilievo da una serie di participi in apertura:

> « *Investiti* in pieno dal vento, con la sabbia negli occhi, *assordati* dal fragore della risacca [...] ci sentivamo profondamente scontenti e irritati di aver voluto uscire da Roma in una giornata come quella » (pp. 3-4, il corsivo è nostro).

L'esempio riportato (costrutto che verrà ripreso poche pagine dopo nel ben più solenne « *Varcata* la soglia del cimitero... ») è interessante per vedere come, in Bassani, la letterarietà non sia mai forzata all'eccesso: qui infatti lo scrittore rinuncia ad una possibile ma impegnativa struttura ternaria: « *Investiti* in pieno dal vento, *accecati* dalla sabbia, *assordati* dal fragore della risacca... », chiudendo anzi su un tono decisamente « basso »: « aver voluto uscire [...] in una giornata come quella ».

Il participio in apertura di periodo, comunque, verrà impiegato per aumentare *pathos* e tensione interna alla struttura della narrazione. Così:

> « Cacciato dal Paradiso, non m'ero ribellato, dunque, attendendo in silenzio di esservi riaccolto. Ciò nondimeno soffrivo: certi giorni atrocemente » (p. 265).

O ancora:

> « Pedalavo adagio. Sdraiati nell'erba, ai piedi degli alberi, mi si scoprivano sempre nuovi innamorati [...] Alcuni, avvinghiati, si agitavano uno sull'altro, mezzo nudi; altri stavano distesi, già separati, la mano nella mano; altri, abbracciati ma immobili, sembrava che dormissero [...] Arrivato che fui al-

³⁷ *Ibidem*, pp. 57, 65.

l'altezza del Barchetto del Duca, mi fermai. Scesi
di bicicletta, l'appoggiai al tronco di un albero, e
per qualche minuto, rivolto alla ferma e argentea
distesa del parco, rimasi lí, a guardare [...] Tutto
era spento, laggiú [...] Giunto infine a dominare
esattamente dall'alto il punto del muro di cinta
[...] Non appena seduto lassú » (pp. 313, 314).

Questa citazione, e tutto il passo da cui è stata tratta, è anche un buon esempio di come le strutture bas-
saniane rendano tutto essenziale e marginale al contempo. Queste strutture impiegano un materiale linguistico
medio e collaudato (c'è forse, in tutto il *Giardino*, una
sola parola di forte sapore letterario: quel « in fondo a
irremeabili abissi di ignoranza », p. 37; il corsivo è nostro) e sono formalizzate nel rispetto della sintassi tradizionale. Anche nell'ultimo esempio, tra l'altro, abbiamo una sequenza ternaria, una vera e propria elencazio-
ne-descrizione (« Alcuni... altri... altri ») minimamente va-
riata nel susseguirsi di soggetto, participio e verbo. La
misura ternaria è, nel prologo, insistita quanto efficace
presenza:

> « Elettrizzata proprio dal vento, dal mare, dai pazzi
> mulinelli della sabbia » (p. 4);
> « gruppi di paesani, ragazze e giovanotti » (p. 6);
> « l'eternità non doveva piú sembrare un'illusione,
> una favola, una promessa da sacerdoti » (p. 8),

e la si può rinvenire anche come serie aggettivale:

> « Qui l'erba è piú verde, piú fitta, piú scura » (p. 5);
> « Seduto in serpa, immobile, muto, incombente » (p.
> 146);
> « Vaghe, nebulose, impotenti speranze » (p. 204);
> « Era una splendida notte di luna, gelida, limpidissi-
> ma » (p. 205).

Va però notato come Bassani tenda a mascherare la
serie di tre aggettivi (certo piuttosto inflazionata dopo l'u-

so e la teorizzazione proustiani) inframmezzandovi avverbi o intere frasi:

> « una tomba brutta, d'accordo — avevo sempre sentito dire in casa, fin da bambino —, ma pur sempre imponente e significativa » (p. 9);
> « L'occhiata [...] fu lunga, severa, stranamente sprezzante » (p. 26);
> « tutto appariva chiaro, netto, come in rilievo » (p. 316);
> « un suono flebile, accorato, quasi umano » (p. 318).

Di questa volontà stilistica è del resto prova una variante. Il passo che nell'edizione Einaudi del '62 suona come « una rapida occhiata severa, diffidente », diviene, nell'edizione Mondadori del '74, « una rapida occhiata, severa, piena di diffidenza » (p. 6).

In effetti la preferenza dello scrittore sembra andare alle strutture binarie, e non solo per quanto concerne l'aggettivazione. Prendiamo, a mo' di esempio, un brano già citato:

> « Ci presentammo affiancati sulla soglia della sala da pranzo [...] I volti di tutti i commensali erano *rosei*, *accesi*; tutti gli sguardi, appuntandosi su di noi, esprimevano *simpatia* e *benevolenza*. Ma anche la stanza, cosí come mi si mostrò d'un tratto quella sera, mi parve piú *accogliente* e *calda* del solito, in qualche modo rosea anche essa nel legno *biondo* e *levigato* dei suoi mobili, dai quali la fiamma *alta* e *lingueggiante* del camino suscitava *teneri* riflessi *color carne* » (p. 210), il corsivo è nostro).

(Si noti come quel presentarsi *affiancati* suggerisca già, in un certo senso, tutta la struttura binaria del periodo: tutti i volti, tutti gli sguardi, ecc.)

È poi, questa aggettivazione, da non intendersi in funzione meramente illustrativa, ma rispondente sempre

a un'esigenza di definire che assomma in sé la descrizione ed una certa carica evocatica (di qui, anche, una
preferenza per aggettivi che suggeriscano presenza o assenza di luminosità). Cosí nelle pagine finali, in modo
molto scoperto:

> « La rete [...] giaceva in un *confuso* cumulo *lumine-
> scente* » (p. 315);
> « Fissavo la *nera, scabra* forma in controluce »
> (pp. 316-317; il corsivo è nostro).

L'aggettivo tende a farsi sempre meno realistico e
oggettivo, sempre più allusivo, sino a divenire astratto
correlativo di una situazione sentimentale:

> « un *brum azzurro-scuro* dalle *grandi* ruote *gom-
> mate*, le stanghe *rosse*, e *lustro* tutto di vernici, cri-
> stalli, nichelature [...] esaminare l'equipaggio da vi-
> cino [...] dal cavallone *poderoso* di tanto in tanto
> *calmamente scalciante*, con la coda *mozza* e con la
> criniera tagliata *corta* [...] sino alla *minuscola* co-
> rona *nobiliare* che spiccava *argentea* sul fondo *blu*
> [...] contemplare [...] l'interno tutto *grigio, felpato*,
> e *in penombra* ([...] dei fiori infilati dentro un *esile*
> vaso *oblungo*, a foggia di calice): poteva essere
> anche questo [...] uno dei tanti *avventurosi* piaceri
> di cui erano *prodighe*, allora, per noi, quelle *me-
> ravigliose, adolescenti* mattine di *tarda* primavera »
> (pp. 32-33; il corsivo è nostro).

Vi è qui, al contempo, la volontà di spiegarsi, di
esaurire l'oggetto (i colori, il cavallo) e il *décalage* allusivo, affettivo dell'oggetto stesso. Citiamo ancora:

> « vidi trascorrere nei suoi occhi *neri* e *vividi, scin-
> tillanti* sopra due *tenere* guancine *accaldate*, un'om-
> bra di *schietto* rimpianto » (p. 4; il corsivo è no-
> stro); « la sua voce assumeva toni bassi, caldi, sua-
> denti, pazienti » (p. 171),

dove si noti la progressiva astrazione della qualità dei toni di voce. Questa tecnica ottocentesca, che aumenta la carica di oggettività senza poi essere veramente linguaggio naturalistico, è ancor piú evidente nel passo che segue; nella pagina di Bassani le cose non sono mai sempre del tutto se stesse, senza per questo essere del tutto altre:

« La *splendida* dama *bionda* in esso effigiata, *dritta* in piedi, *nude* le spalle, il ventaglio nella mano *guantata*, e col *serico* strascico dell'abito *bianco* » (p. 195; il corsivo è nostro).

Questa scelta di aggettivi tendenti ad una musicalità poetica che li pone su di un terreno neutro (né tutto astratto né tutto concreto) esclude da un lato l'aggettivazione verbale tesa a un'astrazione eccessiva e vagamente espressionista (« Nel coro narcotizzante delle cicale », p. 47, è forse l'unico esempio che ci soccorre in tutto il romanzo) e contribuisce dall'altro a rafforzare il sostantivo qualificante, ponendo l'accento sulla modalità e relegando in secondo piano la cosa:

« eterno scirocco » (p. 5);
« strano orgoglio » (p. 6);
« straordinaria tenerezza »; « i cari, fidati oggetti » (p. 7).

Non deve quindi meravigliare se, parallelamente ad un uso cosí discreto e sottile dell'aggettivazione, a prima vista quasi banale ed ovvio ma in realtà teso ad aumentare l'allusività dell'oggetto, si abbia un impiego puramente comunicativo della metafora, figura retorica che in Bassani appare veramente meta-individuale, oggettivo patrimonio materiale di una comunità linguistica. E veramente, per un ipotetico traduttore del romanzo, le metafore risulterebbero meglio traducibili delle parole, tanto comuni esse sono, e vicine al piú consunto uso linguistico:

« abissi di ignoranza » (p. 37);
« Micòl è di pasta buona, lei, un vero cuor d'oro »
(p. 120),

metafore, insomma, cosí collaudate da non esser quasi
piú avvertibili come tali, piú vicine ormai a essere frasi
fatte, stereotipi, modi di dire:

« tutti quanti imbarcati sulla stessa barca » (p. 122);
« poltrire in molli piume » (p. 135);
« è un vero fulmine di guerra » (p. 272);
« aspettare a piè fermo il settembre » (p. 288).

Cosí molto limitata è anche la forma piú semplice di
metafora: il paragone (spesso poi, lo si è già visto, condotto su elementi soggettivi e precari: si ricordi la « pelle alla Carole Lombard »). Ma questa scarsità di metafore
non contrasta con altri aspetti della prosa di Bassani.
Pur concedendosi la tentazione, a volte, del pezzo di
bravura (soprattutto nelle frasi d'attacco, e si vedano un
po' tutte le aperture di capitolo), lo scrittore predilige infatti una prosa uniforme, spesso ricca di strutture pa-
ratattiche che si avvicinano al parlato o lo ricreano:

« Passai la notte successiva in grande agitazione. Mi
addormentavo, mi svegliavo, mi riaddormentavo »
(p. 145);
« Nemmeno al Tempio sai comportarti come si deve.
Guarda qui tuo fratello: ha quattro anni meno di
te, e potrebbe insegnarti l'educazione! » (p. 40);
« Aprí uno sportello, montò, sedette » (p. 124);
« Tacque. Si mosse appena » (p. 126);
« "Ti passerà", continuava, "ti passerà [...] Sarai,
magari, perfino contento. Ti sentirai piú ricco, non
so... piú maturo..." » (pp. 307-308).

All'uso della paratassi si aggiunge sovente l'impiego
dello stile nominale, dove la concisione del costrutto non
è priva di una certa nota popolare: il linguaggio quotidiano rifugge infatti dai lunghi giri di frase.

« Chi? Il ragazzo? Che degnazione! » (p. 69);
« "Quanti misteri". Il cuore mi batteva furiosamente. "Carte in tavola" » (p. 205).

Se rari sono gli esempi di ascendenza vagamente espressionista,

« Tutto bello, tutto stupendo, in quei primi giorni di vacanza » (p. 32);
« Aria calda e ventilata attorno al corpo disteso, desiderio esclusivo di star cosí, a occhi chiusi » (p. 47),

piú comuni sono invece quei sintagmi nominali collegati al gusto estetico naturalistico-impressionista, il quale si rispecchia in questo modo nel campo della sintassi e della stilistica;

« Ora guardava davanti a sé, *le sopracciglia corrugate, i tratti del viso affilati* da un'espressione di strano livore » (p. 126; il corsivo è nostro),

sintagmi spesso sufficienti a dare l'impressione giusta ed efficace, trasformandosi da appositivi in associativo-modali:

« La splendida dama bionda [...], *dritta in piedi, nude le spalle, il ventaglio nella mano guantata* [...] Pareva davvero una regina » (p. 195; il corsivo è nostro).

Tuttavia, lo stile nominale interessa, in Bassani, nell'ordine della comunicazione, fondata sul dualismo di discorso diretto e indiretto:

« Micòl, sicuro. Con Giampi Malnate. Con l'amico intimo del fratello ammalato. Di nascosto da lui e da tutti gli altri di casa, genitori, parenti, servi; e sempre di notte. Nella *Hütte*, normalmente, ma chissà, certe notti fors'anche lassú, in camera da

letto, la camera dei làttimi. Di nascosto proprio? »
(pp. 317-318).

Questa serie di brevi periodi nominali tesa a ricostruire i processi e le associazioni mentali del narratore, prelude già all'uso dell'indiretto libero cosí peculiare a questo romanzo. Molte sue pagine mantengono infatti una
struttura intermedia tra stile diretto e stile indiretto, ma
spesso l'uso di quest'ultimo si protrae a lungo e senza
stanchezza, specie là dove il narratore riferisce le altrui
deduzioni:

> « Aveva capito — ripeté ancora una volta [...] —
> Comunque lo lasciassi dire: secondo lui, io vedevo
> troppo nero [...] Perché non riconoscevo, infatti,
> che [...] Verissimo — ammise, sorridendo con ma-
> linconia —: durante quel mese [...] e neppure [...]
> ma [...] Però siamo giusti: il libro dei telefoni
> non era stato ritirato [...] non c'era stata ancora
> *"havertà"* [...] la quale [...] avesse davvero pen-
> sato a far fagotto [...] Guardassi invece il giovane
> Lattes, per favore [...] Ah, no: tutto poteva dirsi,
> del buon Barbicinti [...] Che fosse un galantuomo,
> tuttavia [...] su questo non c'era né da dubitare né
> da discutere » (pp. 72, 73, 74);

o anche:

> « Chi erano stati, per favore — chiedeva —, chi
> erano stati i veri responsabili [...] Non erano sta-
> te, per caso, le destre francesi e inglesi [...]. Allo
> stesso modo che [...] Inutile dar la colpa [...] —
> insinuava, sempre piú soave —, inutile imputare
> [...] Altra, la verità [...] Era evidente — diceva —:
> per me, ed anche per Alberto, in fondo, il fascismo
> non era stato altro [...] oppure, per usare una frase
> cara a Benedetto Croce, *"vostro comune maestro"*
> [...]. E invece sbagliavamo, eccome se sbagliava-
> mo! Il male non era sopraggiunto improvviso [...]

Ma c'era stato chi [...] Amendola e Gobetti erano
stati bastonati a morte; Filippo Turati s'era spento in esilio [...] Antonio Gramsci [...] era morto
l'anno scorso in carcere: non lo sapevamo? [...]
Era vero: Mussolini e compagni [...] — diceva per
esempio Malnate [...] Ma ammesso ciò — sog-
giungeva —, gli sapevamo dire noialtri...» (pp.
171-175).

Nel primo brano come nel secondo abbiamo un vero e
proprio procedimento a scavo, che segue le vie del ragionamento con una struttura sintattica che oscilla tra
l'indiretto libero e lo stile diretto (da un lato si mantie-
ne il verbo all'imperfetto e la presenza del narratore non
viene meno — in quella continua contrapposizione io/lui
— dall'altro il gioco interno di incidentali e parentetiche
contrappone l'oggettività linguistica del discorso diretto
al mimetismo dell'indiretto libero) con un'abile scan-
sione dei ritmi interni dei sentimenti o del ragionamento
deduttivo.
Meno felici, forse, più di maniera certi passaggi del
parlare comune:

« E pazienza loro, i genitori » (p. 20);
« Si capisce, eh, si capisce »; « Ma a parte questo,
non c'era caso che dài e dài » (p. 21);
« Dunque, quando capitava » (p. 37);
« Sí, magari, facendo finta di niente » (p. 47);
« Ti dirò anzi che a un certo punto » (p. 80);
« Senonché già da lunedí mattina » (p. 255).

Questi esempi ci consentono di sottolineare un'altra
caratteristica della prosa di Bassani: quella fitta rete di
congiunzioni e avverbi che spazia lega divide e raccoglie
la sua scrittura. In linea con un'affermazione dello scrittore riguardante il sostanziale « antiproustismo » del *Giardino*,[38] Giorgio Varanini, nel saggio piú volte citato, pur

[38] In « Il Ragguaglio Librario », *intervista cit.*

facendo riferimento a indubbie suggestioni proustiane (la
trama dei riferimenti, certe consonanze nella struttura
degli episodi, l'uso del gergo e del vocabolario personale, il gusto per lo scandaglio linguistico, persino la coincidenza de « le vierge, le vivace et le bel aujourd'hui »
mallarmeano), sottolinea la differenza sostanziale nell'an-
datura prosastica dei due scrittori: rallentante, ricca di
strutture ipotattiche che dànno vita a una frase la cui
complicata architettura frappone un perpetuo « ritardan-
do », pena l'incomprensibilità, alla nostra fretta, la prosa
dello scrittore francese. Di contro, invece, « la prosa di
Bassani è sospinta come da un assillo che non conosce
sosta, che incalza il lettore anche laddove le istanze ana-
litiche impongano gli indugi d'una sintassi complessa e
articolata [...] in funzione dell'esaustiva rivelazione d'u-
na situazione psicologica e d'uno stato d'animo, e delle
loro ragioni profonde ». La prosa dello scrittore ferrarese, insomma, organizza il proprio molteplice materiale
lungo una sorta di linea progressiva e uniforme che nulla ha a che vedere col moto elicoidale della frase proustiana. Cosí, ad esempio, l'elegante ordito del brano d'a-
pertura a p. 91, cosí « tonale » e ricco di rimandi, si può
scomporre agevolmente in sette periodi:

« Fummo davvero molto fortunati, con la stagione.
Per dieci o dodici giorni il tempo si mantenne per-
fetto, fermo in quella specie di magica sospensione,
di immobilità dolcemente vitrea e luminosa che è
particolare di certi nostri autunni.
Faceva caldo, nel giardino: quasi come se si fosse
d'estate.
Chi ne aveva voglia, poteva tirare avanti a giocare
fino alle cinque e mezzo e oltre, senza timore che
l'umidità della sera, verso novembre già cosí forte,
danneggiasse le corde delle racchette.
A quell'ora, naturalmente, sul campo non ci si vedeva quasi piú.
Però la luce, che tuttora dorava laggiú in fondo i

declivi erbosi della Mura degli Angeli, pieni, specie la domenica, di folla lontana — ragazzi che cor-
revano dietro al pallone, balie sedute a sferruz-
zare accanto alle carrozzine, militari in libera usci-
ta, coppie di fidanzati alla ricerca di posti dove
abbracciarsi —, quell'ultima luce invitava a continuare, a insistere in palleggi non importa se
ormai quasi ciechi.
Il giorno non era finito, valeva la pena di restare
ancora un poco »

(quest'ultima frase, nella prima edizione Einaudi, suona:
« valeva comunque la pena di restare ancora un poco »)
in un gioco di frasi alternate tra brevi e lunghe. Il primo, il terzo, il quinto e il settimo periodo, brevi e pa-
ratattici, sono tutti egualmente bilanciati su due membri
(separati tra loro, rispettivamente, dalla virgola, dai due
punti, dall'inciso avverbiale e ancora dalla virgola, seb-
bene in quest'ultima frase il secondo emistichio si allun-
ghi, si stemperi quasi, in quell'« ancora un poco ») e nella loro secca funzione informativa pausano il secondo,
quarto e sesto, arricchiti da qualche effetto ritardante (aggettivazione, relative, inciso nominale con funzione enu-
merativa). Cosí anche in un passo di grande rilevanza
emotiva, il crescendo è contenuto in una struttura atten-
ta ai ritmi della frase, e dove l'effetto verticale è ottenuto mediante il semplice artifizio della ripetizione:

« *Certo*, non ero affatto disperato quella prima sera
[...] Micòl era partita: *eppure* io pedalavo [...]
come se, di lí a poco, mi aspettassi di rivedere lei,
e soltanto lei. Ero emozionato, allegro: quasi felice. Guardavo dinanzi a me, cercando col faro
della bicicletta i luoghi di un passato che mi sembrava remoto, *ma ancora* recuperabile, *non ancora*
perduto. *Ed ecco* il boschetto delle canne d'India;
ecco, piú in là, sulla destra [...] *ecco*, ancora oltre [...] *ed ecco*, *infine*, preannunciata per breve

tratto dallo scricchiolio delle gomme sulla ghiaia del piazzale, la mole gigantesca della *magna domus*... » (pp. 155-156)

dove si noti l'inciso ritardante che segue a quell'« infine », e l'ulteriore sospensione data da « la mole gigantesca », che introduce la figura a cui tende tutto il brano, la *magna domus*. Pur concordando pienamente, dunque, sull'assillo che domina la prosa di Bassani, mi pare altresí opportuno notare come parentesi, incisi, congiunzioni, avverbi — cosí frequenti in queste pagine — ottengano pienamente l'effetto voluto dall'autore: quello di deformare insensibilmente un linguaggio apparentemente tradizionale ma agitato in realtà dall'ansia di definire e precisare l'azione (« piú in là, sulla destra » nel passo citato, ad esempio) sí che il lettore non abbia nulla da aggiungere alla scena. Non è però, si badi, un tipo di precisazione naturalistica; la prosa di Bassani, anzi, proprio in quest'ansia febbrile conserva un suo alone di allusività; lo scrittore dice: « cominciava quel tratto del giorno che precede l'ora di cena » e non « erano le sette di sera ». È una volontà riscontrabile anche nell'impiego di certi tempi verbali — condizionale composto e i tempi del discorso indiretto libero — che permettono d'accostarsi alla realtà senza cadere nel naturalismo.[39]

Va anche detto che il sentimento della morte (presente qui in ogni personaggio, e filtrato attraverso il personaggio che dice « io ») spinge a guardare piú intensamente gli oggetti che si dovranno abbandonare, per scoprire almeno ogni dettaglio, se non ogni segreto: ma contemporaneamente allontana gli oggetti da sé come se già appartenessero a un mondo perduto.

A un mondo, non a un tempo perduto.

Perché nel romanzo vi è, sí, il senso del tempo che

---

[39] « Ma lei sa che io sono un idealista e non credo alla oggettività del reale: allora, uno strumento tecnico di questo tipo mi permette di rendere questa sfiducia nella credibilità dell'oggetto »: in « Il Ragguaglio Librario », *intervista cit.*

fugge e di una fine incombente; e anche, a posteriori, la validità del ricordo che ricostruisce « il caro, il dolce, il *"pio"* passato ». Ma questo filtro della memoria non rappresenta, in Bassani, il passato, poiché la memoria del narratore non è involontaria, ma volontaria; pur non preservando totalmente l'oggettività delle cose, essa — mediata dal pensiero — ne modifica solo parzialmente la natura, senza interiorizzarla e senza subire quella tensione deformante che sfocia in un linguaggio lirico altamente soggettivo.

La memoria non è quindi, in Bassani, strumento per ritrovare il tempo perduto; essa non è che la coscienza del passato in quanto esperienza ormai « storicizzata ». Nel saldo e nitido ordito di questa prosa, l'imperfetto immobilizza le azioni rappresentate fissandone la condizione; il passato remoto riporta i fatti a un sottinteso presente storico, proprio di ogni linguaggio che assimili nelle sue strutture l'idea del tempo, di un tempo senza misura che si confonde con « l'immobile contemplazione del passato ».

PAGINE SCELTE DALLA CRITICA

Vita e morte di Micòl

Uno dei lati piú interessanti dei racconti ferraresi di Giorgio Bassani è che in essi viene studiata una particolare sezione della vita borghese dei nostri tempi. Chi si occupa più dei borghesi in Italia? Probabilmente nessuno. [...] I personaggi del suo nuovo libro *Il giardino dei Finzi-Contini* non hanno fatto a tempo a leggere Robbe-Grillet o Beckett, anche perché sono morti con qualche anno d'anticipo; e quanto al personaggio-autore, quel personaggio che dice io ma che tace il suo nome (lo indicheremo con la lettera B), è vero che egli — unico scampato a una catastrofe — ha potuto vedere per esempio *L'année dernière à Marienbad*, ma gli è rimasta intatta

la convinzione che non può esistere arte là dove manca
un minimo di certezza sulle basi stesse della vita: la quale può anche essere un inganno, ma non un inganno privo
d'ogni senso.

Ed ora, stabilito che i personaggi di Bassani sono pres-
s'a poco eguali ai lettori dei suoi libri, uomini veri e cre-
dibili, somiglianti a voi e a me, anche se sono quasi
tutti ebrei, cerchiamo di entrare nel favoloso giardino
che dà il titolo alla sua nuova narrazione.

(Eugenio Montale, *Vita e morte di Micòl*, in «Corriere della Sera», 28 febbraio 1962)

Micòl come guida e illuminazione

Micòl rappresenta il principio della vita e quello
della morte. Da un punto di vista puramente umano, come figura esistenziale del ventesimo secolo, ma anche
come una creatura piú che umana, una sorta di Madre
Terra il cui regno dia a un tempo frutti nuovi e asilo
ai morti. Il legame con la terra si riflette nel suo corpo
mortale, a cui vengono associati colori e profumi di
terra, e le piante e gli alberi che ama; il legame con il
cielo si riflette nell'abbagliante luce solare o nel chiarore
della luna che inevitabilmente la circondano [...]. Né
va dimenticato che Micòl usa un linguaggio particolare, il
«finzi-continico», che prepara una bevanda celestiale, lo
«Skiwasser», ha un cane-idolo, Jor, e vive nella torre
piú alta della sua casa simile a un tempio, a cui si acce-
de attraverso una salita labirintica che ricorda le vie
labirintiche del cammino dell'uomo verso la consapevolezza. Il giardino, il suo sfondo abituale, è emblematico
di Micòl, ed è significativo che il titolo del libro si rife-
risca al giardino e non, per fare un esempio, alla famiglia. Io penso che in tal modo Bassani abbia saputo sottolineare il riverbero simbolico del suo romanzo, guidando cosí il lettore oltre gli eventi puramente realistici [...]
Il «giardino» non è in realtà un giardino, ma un parco

di quasi dieci ettari di terra e sei chilometri di strade. Simbolicamente, il termine indica non soltanto la proprietà dei Finzi-Contini ma Micòl stessa. Poiché è certamente lei, e non il parco in quanto tale, il « giardino » della famiglia. E ancora il giardino raffigura la terra madre e Micòl è Demetra. Infine, esso rappresenta il Paradiso Terrestre e Micòl è Matelda.

(Marilyn Schneider, *Dimensioni mitiche di Micòl Finzi-Contini*, in « Italica », vol. 51, n. 1, primavera 1974, Columbia University, N.Y.)

Un giardino incantato

Questo giardino è certo un giardino incantato ma il suo incanto si forma continuamente, a contrasto, a confronto e limite della realtà storica e civile piú precisa e piú ovvia [...] Il racconto vuole interpretare la realtà profonda della situazione della borghesia italiana, e non solo ebraica, al momento dell'inizio e della prima applicazione delle leggi razziali [...] Il ricordo quindi non è soltanto il metodo e il modo che rende possibile il prestigio e insieme lo slancio continuo del passato come in Proust, ma è insieme uno strumento storico; il punto di vista di chi dal presente, dal nostro presente racconta non è soltanto una forma di elegia, di compianto, di rimpianto ma è insieme un modo per capire questi personaggi nella realtà vera, quella realtà nella quale essi camminavano e quasi sempre ignoravano.

(Claudio Varese, *Il giardino di Bassani*, in « Il Punto », 24 febbraio 1962)

Sottile rete di simboli culturali

Il giardino dei Finzi-Contini non è solo un romanzo commosso, è un romanzo commovente: eppure le sue radici affondano nel terreno piú deliberatamente letterario che si possa immaginare [...] Il narratore de *Il giardino dei Finzi-Contini* è lo stesso autore di allora, studente di lettere, poi laureato, letterato alle prime prove: sotto la pelle viva del romanzo, sotto la carne ricca del romanzo, scorre tutta una rete sottile di riferimenti e di simboli culturali, una cultura che si sta formando nel protagonista contemporaneamente all'uomo.

(Oreste Del Buono, *La piú bella Ferrara di Bassani*, in « La Settimana Incom », 25 febbraio 1962)

Un concreto orizzonte poetico

Questo malinconico senso della morte, o meglio di una vita che non può veramente che guardare al passato, è anche una perfetta ricostruzione storica ed è soprattutto il sentimento che di quel tempo è rimasto, come un concreto orizzonte poetico, nella mente e nel mondo interiore del narratore. E quel tempo egli ricompone pazientemente con l'aiuto di certi luoghi, di certe ore, di certi episodi e particolarmente con il ricordo di certi discorsi, di certe parole [...] Se si può dare un mondo che abbia in sé qualcosa di autenticamente poetico-favoloso, è quello determinato in queste prime pagine del romanzo, e che si distende poi un po' su tutto il suo svolgimento come una condizione non sempre, anzi quasi mai, bene afferrabile, distinta dalle altre che determinano le piú vive suggestioni di esso e soprattutto da quell'aspirazione al passato e da quel senso di morte di cui si è già detto.

(Riccardo Scrivano, *Il giardino dei Finzi-Contini*, in « Il Ponte », maggio 1962)

La doppia luce della memoria

[...] vi troviamo, con rifrazioni di un'intensità mai prima raggiunta, quella concezione pessimistica della vita, che è in stretto rapporto con la sua origine israelitica, con quel senso di solitudine, di tristezza senza spe-

ranza, proprio della sua gente antica [...] il tono fondamentale del libro [...] acquista cadenze arcane, come di
memoria di là dalla vita, in quanto fa rivivere ciò che
non è piú, lo rende a suo modo immortale. Una memoria
a fondo sacro, che come nel rituale del kippúr convita
in immagine i morti familiari, e rinnova con loro l'antico colloquio [...] Il racconto vuol essere, pertanto, un
atto d'amore: verso un passato che, se ebbe i suoi momenti tremendi, coincise pure con la giovinezza del rie-
vocatore; verso una Ferrara e un mondo tramontati; verso una famiglia amica, e in particolare verso i giovani
figli [...] Tuttavia il poetico del racconto sta proprio
nella doppia luce di questa memoria, che rende parvente
l'occulto e occulto il parvente; sta non — come qualcuno ha detto — in questa storia d'amore, che riduce fra
l'altro il disegno del libro, ricco da principio come una
partitura, a un duetto, e poi ad un assolo; ma sta — e
non sembri un gioco di parole — nell'amore con cui è
rivissuta questa storia nell'ambito, e nella prospettiva,
di una piú ampia storia che coinvolge « il destino di
tutti ».

(Arnaldo Bocelli, *Il romanzo di Bassani*, in « Il Mondo », 20 marzo 1962)

La luce malinconica
e senza rimedio d'una giovinezza perduta

[...] esiste in questo romanzo un curioso rapporto tra
il romanziere, il narratore e gli altri personaggi del libro; e se, finalmente, il lettore ha l'impressione che siano tutti guidati verso una soluzione stabilita, la responsabilità sembra ricadere, non sul romanziere, ma sulla
fatalità storica che sottende l'azione. È proprio qui che
Bassani si rivela romanziere, e non memorialista o storico. Poiché, s'egli dà alle vicende che narra la verisimiglianza e le apparenti garanzie della storia, i suoi mezzi
espressivi sono al contrario quelli del romanziere, e del

romanziere analista, che soli guidano l'analisi dei caratteri, e la logica ch'è loro propria. *Il giardino* è l'evocazione d'una educazione sentimentale e di un amore mancato. Una tra le maggiori ragioni del fascino di questo bel romanzo è dovuta a questo personaggio (Micòl) sconcertante e instabile. Il significato finale della sua evoluzione sentimentale è parimenti avvolto in un alone d'ambiguità, e non è tra i meriti minori di Bassani l'aver saputo mantenere anche il proprio lettore sospeso, nella luce malinconica e senza rimedio d'una giovinezza perduta.

(Mario Fusco, *Le monde figé de Giorgio Bassani*, in « Critique », ottobre 1963)

Un senso che va ben oltre il nodo storico particolare

Lungo tutto il libro, la nostalgia di Ferrara è triplice: perché colui che narra ha lasciato da tempo la città, perché ne filtra l'immagine nella memoria, e perché, nella sua qualità d'ebreo, al tempo delle persecuzioni egli si è visto negare il diritto di sentirla propria, come, i protagonisti del romanzo, quello di morirvi. [...] Bassani ha vinto, in questa sua prova, un altro suo pudore anche piú acuto: quello di mettere, lui ebreo, al centro di un'ampia vicenda personaggi ebrei, in quanto tali (Italo Svevo non lo fece mai). Ma come Kafka osservò una volta al suo amico Max Brod, « un personaggio ebreo significa sempre piú che se stesso ». Scriveva Delio Cantimori, nella sua prefazione alla *Storia degli ebrei italiani sotto il fascismo*: « Quando si tratta degli ebrei, la prospettiva storica si dilata sempre, nel tempo e nello spazio ». Si può egualmente dire che, in un romanzo che tratti di ebrei, si dilata la prospettiva morale. Cosí, la vicenda dei Finzi-Contini, pur còlta negli anni delle leggi razziali [...], ha un senso che va ben oltre il nodo storico particolare. La famiglia ebraica del *Giardino*, che si barrica dietro a

se stessa e finirà in un campo di sterminio, si è scelta una
sorte in cui si specchia, per naturale allegoria, il destino
di altri e di altro.

(Paolo Milano, *La necropoli dei sentimenti*, in « L'E-
spresso », 11 marzo 1962)

Una intelligenza agguerrita e vigile

Come in altri esempi illustri, da Nievo a Proust, Bassani conduce il suo personaggio nel vivo della narrazione, sí che nessuna esperienza di cui egli partecipa resti a
noi estranea, avulsa dal corso del racconto. In tale inten-
to egli riduce tutto o quasi tutto al presente, un presente
storico di stampo particolare, ingrandito da una intelligenza agguerrita e vigile, che resuscita episodi, emozioni,
particolari psicologici. Un microcosmo, insomma, per cui
si entra nelle case, si ha l'idea di un gusto, di uno stile
che è anche e soprattutto stile di vita. Ancora una volta,
la vita e lo stile della borghesia agiata e colta degli
anni Quaranta, colta in un periodo di cocente trapasso,
di timori e di irrevocabili decisioni.

(Massimo Grillandi, *Invito alla lettura di G. Bassani*,
Milano, Mursia, 1976³)

Un romanzo « religioso »

Anzitutto il *Giardino* è un romanzo « religioso ». Piú
l'autore, ad arte o secondo natura, accentua il proprio
distacco nella precisazione « ideologica » del protagonista, del *je* che racconta, piú il racconto è attratto sottil-
mente dall'atmosfera di riti, sentimenti e credenze che
dà concreto rilievo poetico ad alcune delle migliori pagine del romanzo. Che *je* non creda, non ha alcuna importanza; che l'autore possa far trapelare un complesso
di sfiducia e di stanchezza, ha un po' piú d'importanza,
ma non proprio in un grado definitivo e cogente. Nel

Giardino dei Finzi-Contini il rapporto tra la sfera religiosa e la sfera dell'irrazionale (qualche volta espresso in modo vago e sospeso, come di chi indaghi sui resti di una civiltà sepolta; talvolta vivo e attuale) è sentitissimo, e si traduce in un sentimento dolcissimo, arcano, inquieto del *tremendum* patito in gioventú e ancora foriero d'echi e di ricordi.

(Giorgio Petrocchi, *Parere sui « Finzi-Contini »*, in « Rassegna di Cultura e Vita scolastica », 31 marzo 1962)

Una vera passione commemorativa

Il giardino si arresta alla vigilia della catastrofe ma i presentimenti dei futuri disastri che pervadono certa narrativa dell'anteguerra e che qui ricompaiono puntualmente hanno in questo libro un riferimento preciso e una realtà molto piú atroce del previsto che spande su tutta l'opera il suo funebre riflesso. Quello che costituisce la nota piú singolare del romanzo è la presentazione di un ambiente ebraico con un misto di tenerezza e critica. Si può dire che la cultura degli anni della formazione intellettuale di Bassani e alla quale lo scrittore è rimasto intimamente fedele concorre alla caratterizzazione di un mondo ricostruito con vera passione commemorativa e reso poeticamente nei suoi aspetti passati e mortuari [...] Quello che manca di consistenza e di originalità è la lingua [...] Ma nonostante il repertorio verbale e il formulario espressivo piuttosto consueti, la figura di Micòl è singolare e incantevole, forse proprio per la capacità dell'autore di comunicare con la massima intensità la sua carica emotiva.

(Giulio Cattaneo, *Il giardino dei Finzi-Contini*, in « L'Approdo Letterario », n. 17-18, gennaio-giugno 1962)

Non una storia ferrarese
ma un racconto che si universalizza

Mi pare che [...] nel *Giardino* pur essendo il libro ambientato in Ferrara, e pur risentendo fortemente di questa lunga rincorsa dello scrittore attraverso le storie ferraresi, in un certo senso, il racconto si universalizza, diventa molto piú ampio e ricco di significati morali [...] Questa, direi, non è neppure un'altra storia ferrarese, questa è la storia di un gruppo di persone precisate nella loro qualità umana, sociale, etica; un gruppo di persone alle prese con qualche cosa che le sovrasta, che incombe su loro, che minaccia la loro esistenza, che minaccia il loro patrimonio ideale, la loro ascendenza storica e spirituale [...] Sono d'accordo anche io che la scrittura di questo libro è discutibile, anzi io la trovo talvolta mediocre. La trovo mediocre perché nell'apparente fluidità dello stile [...] si sente ogni tanto, la fatica, lo sforzo di costruire la frase in un modo che possa incantare facilmente il lettore dandogli una certa canorità, una certa fluenza sonora.

(Libero Bigiaretti, *Dibattito sul Premio Viareggio*, in « L'Approdo Letterario », n. 19, luglio-settembre 1962)

Elemento di unità estetica ma limite generale

Bassani sottolinea, cioè mette in corsivo o fra virgolette, « certi vocaboli di poco rilievo ». Essi acquistano in tal modo una particolare evidenza, cosicché il lettore, una volta avviato, prosegue per conto suo e scopre che non si tratta soltanto di una « lingua » privata e di famiglia, ma piuttosto di una lingua di classe, di una parlata borghese consapevolmente diretta alla ricostruzione del clima anteguerra che viene rievocato. Questo e altri particolari, insomma, il discorso di Bassani li assume in sé, adeguandosi nelle sue peculiarità sintattiche e morfologiche al clima che gli interessa, in modo piú ampio di quello che sembra, resuscitando in definitiva l'italiano un po' astratto e convenzionale che si parlava e imparava nei nostri licei centro-settentrionali durante gli anni dell'anteguerra. Questo italiano tuttavia, se costituisce un elemento di unità estetico nel *Giardino*, costituisce anche un limite generale dell'arte di Bassani e di tutto un aspetto della nostra narrativa odierna. Mi è accaduto altra volta di indicare in una specie di « manzondannunzianesimo » la somma per contaminazione delle due piú vulgate correnti di gusto che percorrono la prosa italiana del 900. Sintassi regolare, superficie tirata a lucido, gradevole orecchiabilità: una letteratura, neanche a farlo apposta, desunta dai licei, sul cui impianto sintattico, adatto al realismo ottocentesco preverghiano, si stende la vernice eufonica del D'Annunzio ultimo o notturno, buono per la « prosa d'arte » come per la narrativa che rivagheggi « il caro, il dolce, il pio passato » del manzonismo. Di questa letteratura, direi che Bassani sia oggi l'esponente maggiore e meglio aggiornato.

(Sergio Antonielli, *Il giardino dei Finzi-Contini*, in « Belfagor », 31 maggio 1962)

Una operazione memorabile

Che cosa rimane — starei per scrivere: nel cuore — di questo libro? Il nostro, personale rapporto di quarantenni con la giovinezza prima guastata, poi sparita nella immensa fossa comune? Che cosa potranno capirne i piú giovani, per i quali sarà probabilmente incomprensibile, anzi affatto muta, l'arguzia del « linguaggio del tempo » e tutta l'iperculta rete di sottintesi? [...] No, a Bassani è riuscita invece una operazione memorabile: dipingendo se stesso come un piccolo snob infelice (nei due sensi: verso i Finzi-Contini e verso Malnate), non ha inteso trascenderlo (*il passato*), non ha fatto della propria esistenza la sede di un'operazione di disinganno e di conversione, come l'eroe di Proust; non c'è nessun smascheramento né ulteriore ricupero dei suoi modesti Guermantes; *c'è un desiderio di immutabilità che finisce col credere che valore e immutabilità coincidano*, ma la nascita di quella rovinosa persuasione avviene proprio nel momento in cui le ruote dentate della storia si mettono in moto e cominciano ad afferrarti.

(Franco Fortini, *Dal nulla tutti i fiori*, in « Comunità », marzo-aprile 1962; ora in *Saggi italiani*, Bari, De Donato, 1974, p. 238)

L'autore piú emblematico della sua generazione

Come in altre opere l'uomo solo ed enigmatico di Bassani arriva a storicizzarsi nel problema ebraico, nel complesso del ghetto, nell'isolamento dell'uomo *diverso* respinto dalla società [...], cosí la tomba vuota dei Finzi-Contini, qui tende certamente ad esprimere una continuità di valori ideali e morali violati, dispersi; quel nucleo di sentimenti « stravolto », che non ha potuto raccogliersi nella tomba con il piú intimo se stesso, attinge ad una sua pregnanza storica, ad una rappresentazione emblematica della condizione ebraica nell'Europa disseminata di *bunker* [...] Ma ancora una volta quell'« impegno sul piano della storia » viene continuamente riassorbito nell'idoleggiamento intenerito di un mondo chiuso di care cose private, di affascinanti segreti, di tradizioni che sanno parlare solo a pochí privilegiati. Si direbbe quasi che fin da queste primissime pagine il destino dei Finzi-Contini sia segnato, non soltanto per il penetrante senso di morte che li accompagnerà per tutto il racconto, ma proprio per il significato ideale che questa famiglia ebraica ferrarese assumerà nell'opera di Bassani e nella narrativa italiana contemporanea [...] L'io narratore (nel quale si identifica, del tutto o in parte, Giorgio Bassani) viene scavando nel passato, strappando alle erbacce, all'oblio e alla sorda incomprensione dei contemporanei, la brutta tomba e la maestosa casa dei Finzi-Contini, e per recuperarne amorosamente ogni particolare. Con una struggente memoria del passato, con un sommesso e di-

scretissimo rincantamento di sentimenti ed oggetti sve-
lati, che fa ricordare piú che altrove la lezione proustiana,
Bassani ripropone al centro della sua poetica un mondo
chiuso in una *diversità* aristocratica ed impenetrabile
[...] Siamo [...] nell'« occhio del tifone », nella pace
mortale piena di lucida consapevolezza che precede la
bufera, ma siamo anche nel giardino dei cari sogni giovanili, nella casa dei dolci ricordi consolatori [...] *Il giardino dei Finzi-Contini*, in conclusione, piú che rappre-
sentare l'indicazione di un nuovo metodo narrativo [...]
è l'espressione altamente significativa del dissidio (proprio di una vasta zona della nostra letteratura contemporanea) tra le suggestioni della prosa d'arte, della letteratura di gusto, della prosa poetica consolatoria, dell'e-
elegia, e le istanze nuove portate avanti da un'esperienza
antifascista vissuta in una direzione astrattamente intellettuale e morale, e incapace quindi di bruciare tutto il
passato nel fuoco di una matura coscienza storica. Bassani vive lucidamente il contrasto fino al limite della rot-
tura, diventando in questo senso l'autore piú emblematico della sua generazione.

(Gian Carlo Ferretti, *Il giardino dei Finzi-Contini*, in
« Il Contemporaneo », marzo-aprile 1962)

Una misura di comoda acquiescenza

[...] una individuazione, una creazione di personaggi
[...] mi è sembrata in gran parte mancante nel *Giardino
dei Finzi-Contini* dove l'*Io* narratore e le esigenze della
memoria, e le esigenze anche di un certo tipo di *recherche*, in un certo senso vengono a riproporre, diciamolo
francamente, un tipo di narrativa che legittimamente dob-
biamo considerare come scontata nel tempo. Nel *Giardino dei Finzi-Contini* tutto questo mi sembra che appunto metta in primo piano l'*Io* narratore con la sua
forza dei sentimenti, con queste sue esigenze di ritrovare il flusso vivo della sua memoria; ma che non riesca

altrettanto a darci un romanzo, a darci dei personaggi,
e direi appunto che questo è un rilievo di scrittura che
si può estendere un po' a tutto il libro [...] Nel *Giardino
dei Finzi-Contini* invece quello che è il distacco, il superamento, la superiorità di Bassani rispetto a questo tema, il tema della persecuzione, ho il sospetto che possa
ingenerare anche una misura di comoda acquiescenza
da parte del lettore borghese che a un certo momento
può aggiungere un facile corollario: è giusto che Bassani non insista su questo punto perché infatti nessuno
di noi ne aveva colpa; nessuno di noi voleva le persecuzioni razziali. Io credo appunto che questa possa
essere una soluzione di comodo che non dovrebbe essere
incoraggiata sul piano morale.

(Luigi Baldacci, *Dibattito sul premio Viareggio*, in
« L'Approdo Letterario », n. 19, luglio-settembre 1962)

Gelido e ad un tempo struggente

Nel Bassani, in particolare, una disposizione estetica
si è combinata con una eccezionale disposizione del sentimento. Il romanzo è impostato cioè su una serie di
opposizioni (che non intendono essere dialettiche) tra
mondo istituzionale e mondo reale, tra i cimiteri etruschi
e Buchenwald, tra la rappresentazione o il decoro e la
impotenza dei soggetti reali. Il secondo termine di tali
opposizioni, benché non sia esplicitato, consente di su-
perare un tipo di visione semplicemente estetica. Da questa impostazione discende anche la complessità e, posi-
tivamente, l'ambiguità dell'atteggiamento dello scrittore,
misto di pietà, di intelligenza e di una specie di ironia,
di partecipazione e di riserva, nonché la qualità del suo
stile, gelido e ad un tempo struggente. Uno stile che, in-
ternamente variato e animato, non si articola in una mol-
teplicità di piani, proprio perché manca sia un io attore
sia un io giudicante, tanto il protagonista quanto l'autore
rivelando una stessa inclinazione morale, un medesimo

comportamento contemplativo, oltre che un acutissimo
senso della morte.

(Guido Guglielmi, *Il giardino dei Finzi-Contini*, in
« Mondo operaio », giugno 1962)

Micòl

Micòl [...] è l'unica viva in un mondo di morti. Naturalmente Micòl si serve della tecnica della menzogna,
non è una propagandista di se stessa, dice esattamente
il contrario di quello che pensa e lo riconosce anche
vent'anni dopo, quando racconta la sua storia. Ed è
appunto per questo che quando avviene l'incontro nella
camera segreta, il protagonista non è all'altezza, perché
ha un altro destino, un destino di morte, e viene rifiutato da Micòl che capisce con chi ha a che fare. E quando
dice al protagonista maschile: « Vedi, noi due siamo
uguali... abbiamo la testa troppo voltata all'indietro »,
mente, tace intenzionalmente la verità.

(Giorgio Bassani, intervista con Claudio Toscani, in
« Il Ragguaglio Librario », giugno 1973)

III

ESERCITAZIONI

Allo scopo di fornire suggerimenti per una pratica verifica delle acquisizioni dei lettori de *Il giardino dei Finzi-Contini*, ci sia permesso suggerire alcune esemplificanti esercitazioni.

Non meravigli che alla fine di un saggio critico si inviti chi ha parallelamente fruito, e dell'opera dell'autore-scrittore, e del giudizio che ne hanno dato i vari commentatori, nel tempo e in questa stessa occasione, a tentare di avviare una propria analisi testuale.

Lo spirito della collana vuol giustamente stimolare nei lettori la critica personale, traendo spunto da quanto è stato detto sull'opera in sé e sull'operazione letteraria specificamente isolata nei suoi valori di forma e di contenuto o, meglio ancora, di struttura.

1. *Individuate, nel tessuto narrativo, i momenti di passaggio dal discorso diretto all'indiretto libero.*

2. *Individuate, nel discorso indiretto libero, gli inserti di espressioni stereotipe del parlare quotidiano, ovvero gli inserti gergali tesi a restituire anche l'identità socio-culturale del parlante.*

3. *Indicate esempi di stile nominale, specificandone la funzione: elencativa, appositiva, modale associativa.*

4. *Ricercate, nel ricco tessuto aggettivale della lingua di Bassani, un'eventuale tendenza all'aggettivazione*

*astratta o concreta, considerando se nell'impiego dell'ag-
gettivo da parte dell'autore predomini una semplice funzione descrittiva, ovvero se a questa non sia disgiunta
una volontà di connotazione critica.*

5. *Individuate i casi di aggettivazione ternaria, in cui
l'oggetto venga definito nella direzione concreto-astratto.*

6. *Indicate alcuni esempi di aggettivi, singoli, a coppia
o in gruppo, che lascino trasparire una sorta di giudizio
critico da parte dell'autore.*

7. *Rintracciate esempi di reminiscenze letterarie piú o
meno volontarie nel linguaggio dei personaggi, compreso naturalmente quello del narratore (si veda ad esempio quella pioggia « a strisce d'acqua oblique e lunghis-
sime », p. 123, di chiara derivazione pascoliana).*

8. *Indicate esempi di metafore ormai entrate nell'u-
so quotidiano, e di modi di dire assai comuni.*

9. *Sottolineate, con qualche esempio, l'impiego della
paratassi da parte di Bassani.*

10. *Citate alcuni esempi in cui, nel romanzo, il discorso parentetico assume funzione espositivo-ritardante.*

IV

NOTA BIBLIOGRAFICA

I. OPERE DI GIORGIO BASSANI

Una città di pianura (con lo pseudonimo di Giacomo Marchi), Milano, Arte Grafica Lucini, 1940.

Storie di poveri amanti e altri versi, Roma, Astrolabio, 1945 e 1946 (II ediz. aumentata).

Te lucis ante, Roma, Ubaldini, 1947.

Un'altra libertà, Milano, Mondadori, 1952.

La passeggiata prima di cena, Firenze, Sansoni, 1953.

Gli ultimi anni di Clelia Trotti, Pisa, Nistri-Lischi, 1955.

Cinque storie ferraresi, Torino, Einaudi, 1956.

Gli occhiali d'oro, Torino, Einaudi, 1958 (e, con varianti e prefazione di Luigi Baldacci, Milano, Mondadori, 1970).

Le storie ferraresi, Torino, Einaudi, 1960 (con varianti rispetto alla precedente, questa edizione comprende anche *Gli occhiali d'oro* e i due racconti brevi *Il muro di cinta* e *In esilio*).

Il giardino dei Finzi-Contini, Torino, Einaudi, 1962 (con lievi varianti nelle edizioni successive).

L'alba ai vetri. Poesie 1942-1950, Torino, Einaudi, 1963.

Dietro la porta, Torino, Einaudi, 1964.

Le parole preparate e altri scritti di letteratura, Torino, Einaudi, 1966.

L'airone, Milano, Mondadori, 1968.

L'odore del fieno, Milano, Mondadori, 1972.

Epitaffio, Milano, Mondadori, 1974.

In gran segreto, Milano, Mondadori, 1978.

Il romanzo di Ferrara, Milano, Mondadori, 1980.

In rima e senza, Milano, Mondadori, 1982.

Di là dal cuore, Milano, Mondadori, 1984.

Interviste rilasciate da Bassani:

A « Nuovi Argomenti », maggio-agosto 1959.

A « L'Europa letteraria », febbraio 1964.

Con F. Camon, *La moglie del tiranno*, Roma, Lerici, 1969.

Con C. Toscani, « Il Ragguaglio Librario », giugno 1973.

Con D. Cassano, « Bologna incontri », n. 5, maggio 1982.

Con E. Palazzolo, «Il Giornale di Sicilia», 10 dicembre 1987.

Con N. Ajello, «Millelibri», aprile 1988.

Un inedito, «Con il vostro permesso, io sono un poeta», è apparso sul «Corriere della Sera» del 5 febbraio 1989.

Nel 1960 il regista Florestano Vancini traspose in film una delle «storie ferraresi»: *La lunga notte del '43*. Meno rigorosa e pertinente la versione cinematografica (1971) del *Giardino dei Finzi-Contini* tentata da Vittorio De Sica.

II. STUDI DI CARATTERE GENERALE SU BASSANI

G. TROMBATORE, *Scrittori del nostro tempo*, Palermo, Manfredi, 1959, pp. 106-111.

R. BERTACCHINI, *Problemi e figure di narrativa contemporanea*, Bologna, Cappelli, 1960, pp. 303-338.

P. P. PASOLINI, *Passione e ideologia*, Milano, Garzanti, 1960, pp. 419-423.

E. FALQUI, *Novecento letterario*, serie VI, Firenze, Vallecchi, 1961, pp. 374-380.

G. CUSATELLI, in «Palatina», ottobre-dicembre 1961, pp. 9-19.

I. BALDELLI, in «Letteratura», n. 58, 1962; poi in *Varianti di prosatori contemporanei*, Firenze, Le Monnier, 1965.

G. C. FERRETTI, *Letteratura e ideologia*, Roma, Editori Riuniti, 1964, pp. 18-161.

G. PULLINI, *Il romanzo italiano del dopoguerra*, Padova, Marsilio, 1965, pp. 183-192.

G. MANACORDA, *Storia della letteratura italiana contemporanea, 1940-1965*, Roma, Editori Riuniti, 1967, pp. 306-309.

C. VARESE, *Occasioni e valori della letteratura contemporanea*. Bologna, Cappelli, 1967, pp. 379-397.

V. VOLPINI, *Prosa e narrativa dei contemporanei. Dalla «Voce» all'avanguardia*, Roma, Studium, 1967, pp. 193-196.

G. BÀRBERI SQUAROTTI, *La narrativa italiana del dopoguerra*, Bologna, Cappelli, 1968, pp. 164-167.

C. MARABINI, *Gli Anni Sessanta: narrativa e storia*, Milano, Rizzoli, 1969, pp. 275-293.

R. BERTACCHINI, *Giorgio Bassani* ne *I Contemporanei*, Milano, Marzorati, 1973, pp. 797-816.

G. VARANINI, *Bassani*, Firenze, La Nuova Italia, 1973[2].

M. GRILLANDI, *Invito alla lettura di Giorgio Bassani*, Milano, Mursia, 1976[3].

G. BÀRBERI SQUAROTTI, *Poesia e narrativa del secondo Novecento*, Milano, Mursia, 1978[4], pp. 300-308.

R. BARILLI, *La barriera del Naturalismo*, Milano, Mursia, 1979[3], pp. 196-199.

G. MARCHETTI, *Il Romanzo di Ferrara*, «Nuovi Argomenti», luglio-dicembre 1980.

J. MOESTRUP, *Giorgio Bassani dal racconto al romanzo*, «Il Veltro», gennaio-giugno 1981.

A. DOLFI, *Le forme del sentimento. Prosa e poesia in Giorgio Bassani*, Padova, Liviana, 1981.

E. KANDUTH, *Il luogo della morte nell'opera di Giorgio Bassani*, Italianistica, n. 1/3, 1983.

H. STUART-HUGHES, *Prigionieri della speranza. Alla ricerca dell'identità ebraica nella letteratura italiana contemporanea*, Bologna, Il Mulino, 1983.

D. Radcliff-Umstead, *Bassani: the motivation of language*, Italica, n. 2, 1985.

M. Schneider, *Vengeance of the Victim: History and Symbol in Giorgio Bassani*, University of Minnesota Press, 1986.

Giorgio Bassani. Lo scrittore e i suoi testi. Premio Pirandello per la Narrativa 1987. Saggi di Simona Costa, Guido Fink, Walter Mauro, Giorgio Varanini. Antologia a cura di Antonio Gagliardi. Roma, NIS, 1988.

III. BIBLIOGRAFIA ESSENZIALE DELLA CRITICA

su « Il giardino dei Finzi-Contini »

C. Bo, in « La Stampa », 14 febbraio 1962.

P. Citati, in « Il Giorno », 21 febbraio 1962.

D. Porzio, in « Oggi », 22 febbraio 1962.

P. Dallamano, in « Paese Sera », 23 febbraio 1962.

W. Pedullà, in « Avanti! », 23 febbraio 1962.

F. Virdia, in « La Voce Repubblicana », 23 febbraio 1962.

C. Varese, in « Il Punto », 24 febbraio 1962.

O. Del Buono, in « La Settimana Incom », 25 febbraio 1962.

E. Montale, in « Corriere della Sera », 28 febbraio 1962.

C. Salinari, in « Vie nuove », 1° marzo 1962.

G. Pampaloni, in « Epoca », 4 marzo 1962.

G. Piovene, in « L'Espresso », 4 marzo 1962.

W. Mauro, in « Unione Sarda », 8 marzo 1962.

A. Asor Rosa, in « Mondo nuovo », 11 marzo 1962.

P. Cimatti, in La Fiera letteraria », 11 marzo 1962.

P. Milano, in « L'Espresso », 11 marzo 1962.

M. Rago, in « l'Unità », 14 marzo 1962.

A. Bocelli, in « Il Mondo », 20 marzo 1962.

G. Petrocchi, in « Rassegna di Cultura e Vita scolastica », 31 marzo 1962.

G. Manganelli, in « L'Illustrazione italiana », marzo 1962.

G. Caproni, in « La Nazione », 1° aprile 1962.

L. Piccioni, in « Il Popolo », 3 aprile 1962.

L. Baldacci, in « L'Approdo Letterario », 4 aprile 1962

W. Lisiani, in « Il Piccolo », 5 aprile 1962.

L. Baldacci, in « Il Giornale del Mattino », 12 aprile 1962.

M. Guerrini, in « Tempo », 31 aprile 1962.

G. C. Ferretti, in « Il Contemporaneo », marzo-aprile 1962.

F. Fortini, in « Comunità », marzo-aprile 1962.

A. Banti, in « Paragone », aprile 1962.

R. Barilli, in « Il Verri », aprile 1962.

M. Bollato, in « Il Volto », aprile 1962.

S. Antonielli, in « Belfagor », 31 maggio 1962.

A. Bassan, in « Letture », maggio 1962.

M. Grillandi, in « Il Semestre », maggio 1962.

R. Scrivano, in « Il Ponte », maggio 1962.

N. Fabretti, in « Il Ragguaglio Librario », giugno 1962.

G. Guglielmi, in « Mondo operaio », giugno 1962.

V. Volpini, in « Humanitas », giugno 1962.

A. Palermo, in « La Giustizia », 10 luglio 1962.

M. Forti, in « Aut Aut », luglio 1962.

L. BALDACCI, in « L'Approdo Letterario », n. 19, luglio-settembre 1962.

M. BOSELLI, in « Nuova Corrente », luglio-settembre 1962.

D. FERNANDEZ, in « L'Express », 23 agosto 1962.

W. PEDULLÀ, in « Avanti! », 31 agosto 1962.

M. BAVIERA, in « Il Borghese », 13 settembre 1962.

L. M. PERSONÉ, in « Il Piccolo », 16 settembre 1962.

A. PALERMO, in « Nord e Sud », settembre 1962.

M. FUSCO, in « Critique », ottobre 1963.

G. NASCIMBENI, in « Corriere d'Informazione », 26, 27 febbraio 1964 (intervista).

D. F(ERNANDEZ), in « L'Express », 19 marzo 1964.

L. COSTANZO, in « Il Baretti », novembre-dicembre 1964.

I. BALDELLI, in *Varianti di prosatori contemporanei*, Firenze, Le Monnier, 1965.

C. STAJANO, in «Tempo», 6 ottobre 1965 (intervista).

M. T. ACERBI-S. FARÉ, in «Aevum», gennaio-aprile 1966.

M. CÀSSOLA, in «Nord e Sud», febbraio 1971.

F. VIRDIA, in «La Fiera letteraria», giugno 1972.

F. FORTINI, in *Saggi italiani*, Bari, De Donato, 1974.

M. SCHNEIDER, in «Italica», vol. 51, n. 1, primavera 1974.

E. KANDUTH, *Giorgio Bassanis 'Il Giardino dei Finzi Contini' im Spiegel der Varianten*, «Italienische Studien», 1983.

A. SEMPOUX, ... *è proprio lei la stessa che ritorna in pressoché tutti i miei libri*, «Les Lettres Romanes», n. 1/2, 1985.

INDICI

INDICE DEI NOMI

INDICE GENERALE

Stampato
per conto di U. Mursia editore S.p.A.
da «La Tipografica Varese»